INTESTINO

ONDE TUDO COMEÇA E NÃO ONDE TUDO TERMINA

Dra. Gisela Savioli

ONDE TUDO COMEÇA

INTESTINO

E NÃO ONDE TUDO TERMINA

Aprenda a escutar o que sua microbiota intestinal tem para contar

ILUSTRAÇÕES DE **BIA LOMBARDI**

academia

Copyright © Gisela Savioli, 2021
Copyright © Editora Planeta do Brasil, 2021
Todos os direitos reservados.

Preparação: Thais Rimkus
Revisão: Fernanda França, Juliana Wellng e
  Departamento editorial da Editora Planeta do Brasil
Diagramação: Nine Editorial
Ilustrações de miolo: Bia Lombardi
Capa: Fabio Oliveira
Ilustração de capa: ovocheva / Adobe Stock

DADOS INTERNACIONAIS DE CATALOGAÇÃO NA PUBLICAÇÃO (CIP)
ANGÉLICA ILACQUA CRB-8/7057

Savioli, Gisela
  Intestino: onde tudo começa e não onde tudo termina / Gisela Savioli. - São Paulo: Planeta, 2021.
  224 p.

ISBN 978-65-5535-486-7

1. Intestinos – Microbiologia 2. Medicina 3. Nutrição I. Título

21-3387   CDD 612.33

Índice para catálogo sistemático:
  1. Intestinos - Microbiologia

Ao escolher este livro, você está apoiando o manejo responsável das florestas do mundo

2024
Todos os direitos desta edição reservados à
EDITORA PLANETA DO BRASIL LTDA.
Rua Bela Cintra 986, 4º andar – Consolação
São Paulo – SP – CEP 01415-002
www.planetadelivros.com.br
faleconosco@editoraplaneta.com.br

A Deus, por não escolher os capacitados, mas por capacitar os escolhidos.

A meu amado marido, Roque, que, com seu incentivo constante, me permitiu realizar um sonho: ser uma profissional da área da saúde e poder cuidar da obra-prima de Deus, o corpo humano, onde habita o Espírito Santo.

A meu primeiro orientador, Bruno Zylbergeld, que me colocou pela primeira vez numa bancada de laboratório, para examinar minhas próprias bactérias.

A meu filho, Roquinho, minha nora, Cau Saad, e a toda a minha família.

PREFÁCIO

Durante vários anos, ouvi minha querida esposa e autora deste livro espetacular, que tenho o prazer de prefaciar, falar sobre as inúmeras funções do enorme mundo da microbiota intestinal. Estudiosa nos assuntos relacionados à nutrição, Gisela me contava, entusiasmada como sempre, o que descobria em suas pesquisas com relação a esse universo.

Confesso que, nessa época, olhava de soslaio para ela, concordava, e tudo não passava de um "hum hum", pois não via como colocar em minha prática médica suas sugestões, talvez cego pelo rigor das regras da medicina baseada em evidências, que, se por um lado nos fornece diretrizes e nortes para nossas condutas terapêuticas, por outro nos "engessa" em duros protocolos assistenciais, que, às vezes, fazem nos esquecer da arte de ser médico.

O tempo foi passando (calculo que pelos menos uns dez anos) e, impelido pelos entusiásticos comentários de Gisela sobre o assunto e de tanto ela insistir, comecei a pesquisar na literatura médica e me surpreendi quando encontrei estudos convincentes sobre a relação entre microbiota intestinal e saúde humana, publicados em revistas médicas categorizadas pela comunidade científica.

Aprofundei-me no assunto, e isso me empolgou de tal forma que hoje me considero um estudioso nesse assunto e até me atrevi a escrever o capítulo "Microbiota intestinal e envelhecimento" no *Manual de Cardiogeriatria do INCOR-HCFMUSP*, publicado em 2020, sob a supervisão do prof. dr. Wilson Jacob Filho e do prof. dr. Roberto Kalil Filho, professores titulares da Faculdade de Medicina da Universidade de São Paulo.

Atualmente, em quase todas as revistas científicas de referência, sempre há uma publicação sobre esse tema. Na cardiologia – e especificamente na cardiogeriatria, onde concentro minha atuação na prática clínica –, muitos estudos vêm propondo que a microbiota intestinal seria um novo fator de risco cardiovascular, juntando-se aos já clássicos, como colesterol, diabetes, hipertensão e tabagismo.

Cada vez mais estudos científicos com forte poder em evidências vêm sendo publicados, enfocando a íntima relação entre a microbiota intestinal com a ateroesclerose e a longevidade, mostrando interação entre o intestino com vários órgãos, como coração, pulmões e cérebro.

Intestino – onde tudo começa e não onde tudo termina é uma obra de inestimável valor, pois é o fruto de muitos anos de estudo e, principalmente, da experiência da prática clínica diária de uma *expert* no assunto, minha querida esposa.

Dada sua facilidade de comunicação, Gisela consegue, neste livro, usando uma linguagem clara e explicativa, atingir o público leigo, mas, de maneira extremamente peculiar, também leva aos profissionais de saúde informações que tornam esta obra abrangente para todos os públicos.

Eis um manual para aqueles que se interessam em ter uma vida saudável, mas também para aqueles que atuam promovendo uma melhor qualidade de vida a seus pacientes. Aproveitem!

Roque Marcos Savioli
Doutor em Cardiologia pela Faculdade de Medicina da Universidade de São Paulo, médico-assistente da Unidade de Cardiogeriatria do INCOR-HCFMUSP, escritor e jornalista.

SUMÁRIO

Como tudo começou 15

1 Não é só peixe que morre pela boca 23

2 Um órgão digno de ser colocado no trono 33

3 Intestino: nosso segundo cérebro
  (e que conversa com o primeiro) 75

4 Microbiota intestinal: como chegamos
  até aqui 95

5 O universo invisível que nos habita 115

6 Desenvolvimento da sua microbiota ao
  longo da vida 131

7 Fibras: banquete para os amigos e veneno
  para os inimigos 159

Tabelas 167

Referências bibliográficas 207

As informações apresentadas neste trabalho são meramente informativas e não se destinam a servir de diagnóstico, prescrição ou tratamento de qualquer tipo de enfermidade ou distúrbio. Este livro não substitui a consulta a um médico ou outro profissional de saúde competente. O conteúdo destas páginas deve ser considerado como um complemento a qualquer programa ou tratamento prescrito por um profissional de saúde qualificado. A autora está isenta de qualquer responsabilidade por danos, perdas ou riscos pessoais ou de qualquer outra natureza que possam ocorrer em razão do uso indevido das informações aqui prestadas.

COMO TUDO COMEÇOU

Eu devia ter uns 6 anos de idade naquela ocasião e estava na sala de casa, sentada no chão, ao lado da poltrona de meu pai. Ele assistia atentamente a um programa que passava na televisão (preto e branco na época). Não lembro o que eu fazia, pois, como meu pai viajava muito, sempre que ele estava em casa, eu procurava dar um jeito de ficar ao seu lado.

Mas de uma coisa eu tenho certeza: eu não estava assistindo à televisão nem prestando atenção no áudio.

De repente meu pai desviou o rosto do aparelho e, olhando fixamente para mim e num tom de voz que lhe era tão peculiar de homem sério, mas amoroso que não costumava desperdiçar palavras, disse:

— Pasteur já dizia que o envelhecimento começa no nosso intestino!

Não era uma reflexão ou um simples comentário. Era uma afirmação que naquele momento ele retirou do fundo de seu vasto conhecimento e provavelmente queria partilhar comigo, uma garotinha de 6 anos.

A sensação que tenho hoje, relembrando aquela cena, é como se meu pai quisesse me passar uma informação importante, assim como os sábios das comunidades antigas faziam com as gerações mais jovens na época da tradição oral.

Como já disse, meu pai era um homem de poucas palavras – até por isso, todas as vezes que ele fazia um comentário ou uma reflexão, eu prestava muita atenção. Ele costumava me dizer:

— Gisela, enquanto você tem suas palavras guardadas na sua mente, elas são suas; depois de expressá-las, elas não lhe pertencem mais.

Era esse tipo de conversa que eu ouvia em casa, desde pequena, única filha de um casal com muito mais idade do que os pais das minhas colegas. Talvez você ache estranho esse tipo de comportamento familiar, ainda mais sendo o povo brasileiro tão caloroso e comunicativo.

Mas assim que terminar de ler os próximos parágrafos, você vai entender perfeitamente o comportamento do meu pai, pois eram assim os hábitos de quem nascia naquela época e naquele tipo de família.

Eu nasci aqui no Brasil, em São Paulo, em 1955, e na época meu pai tinha 55 anos. Isso mesmo, ele era de 1900, e foi a pessoa que mais transformações viu acontecer no planeta. Nascido numa nobre família na Rússia, ele e seus sete irmãos receberam o que na época poderíamos chamar de "uma educação de excelência", pois os melhores professores, das mais diversas nacionalidades, eram contratados e trazidos para serem seus tutores. Talvez seja esse um dos motivos pelos quais meu pai falava fluentemente oito idiomas.

Se você assistiu àquela famosa série inglesa *Downton Abbey*, percebeu que educação e formalidade eram sinônimos e que o silêncio era uma grande virtude. Somente para você entender o poço de conhecimentos que aquele homem extraordinário trazia em sua mente: após a Revolução Russa, em 1917, a família fugiu para a Romênia, deixando, a contragosto, uma filha e irmã mais velha, que já era, naquela época, uma médica brilhante. Meu pai mostrava com orgulho a única foto em que estavam todos os irmãos reunidos e não poupava elogios a essa irmã que já trazia em seu peito diversas medalhas pelos seus destaques acadêmicos.

Ela não fugiu com toda a família. Decidiu ficar para ajudar o que ela chamou de "seu povo", dizendo que era sua missão e seu dever permanecer no seu país. Desde então, eles nunca mais se viram, e meu pai morreu sem saber o que tinha acontecido com sua irmã.

Instalados na Romênia, meu pai completou seus estudos universitários em Química, cujos melhores professores eram contratados, na época, da Alemanha. Não foi por acaso que, durante a Segunda Guerra Mundial, papai – com seu alemão impecável e sua aparência tipicamente eslava – contribuiu enormemente para a libertação da Europa do domínio nazista.

No fim da guerra, ele recebeu a medalha de honra do Movimento Nacional Belga junto com mais dez membros da resistência. Se tiver curiosidade de ver essas fotos, eu as coloquei em meu livro-testemunho *A filha da fé* (Loyola, 2007).

Estou contando tudo isso para você entender o motivo pelo qual essa afirmação feita por meu pai ficou gravada em minha mente.

Passados mais de quarenta anos, em 2003, eu estava no início do terceiro ano da faculdade de Nutrição (minha segunda carreira) e fazia aulas de *personal trainer* com uma amiga da faculdade, Cintia Pettinati, que estava um ano à frente.

Conversando durante uma aula, ela comentou que estava em dúvida sobre o que escolher como pós-graduação, pois, apesar de já ser formada como educadora física, queria algo mais focado em nutrição.

Foi quando, pela primeira vez, ouvi falar da nutrição funcional. Foi por meio dela, ao longo de nossas aulas, que eu tomava conhecimento de um novo universo, muito diferente daquele que aprendemos na faculdade.

Em 2003, a rotina era de cursos de extensão em nutrição funcional, nos quais mensalmente podíamos ter aula por um fim de semana inteiro (vinte horas de aula), nos mais diversos temas. Foi assim que, nos dezoito meses seguintes, ao mesmo tempo em que eu terminava minha graduação numa faculdade "clássica" de Nutrição, entrava em contato com um novo universo chamado *nutrição funcional*.

Foi nele que eu ouvi pela primeira vez a palavra "disbiose": um desequilíbrio entre os microrganismos que habitam nosso intestino, sendo ele a porta de entrada para o desenvolvimento de diversas patologias, principalmente as doenças crônicas não transmissíveis (DCNT) que assolam nossa civilização contemporânea, já que a inflamação está na gênese da maioria delas.

Foi quando me lembrei das sábias palavras do meu pai! E fui correndo procurar na literatura científica onde Pasteur tinha falado que o envelhecimento começava no intestino. Então descobri que essa afirmação era muito mais antiga. Hipócrates de Kos (460 a.C.-370 a.C.), considerado o pai da medicina, já dizia isso. E, se por um lado ele apontava o dedo para a doença, também mostrava a solução com sua famosa frase: "Deixe que o alimento seja seu medicamento".

1

NÃO É SÓ PEIXE QUE MORRE PELA BOCA

Precisaram se passar mais de dois mil anos para que fosse publicado um artigo científico de peso que endossasse a famosa frase de Hipócrates "deixe que o alimento seja seu medicamento". Entre 1990 e 2017, foi realizado um longo estudo sobre os efeitos na saúde dos riscos dietéticos em 195 países para avaliar a carga global de doenças de 2017. Esse impactante artigo foi publicado na revista *The Lancet* em 2019.

Os resultados revelaram que as dietas não saudáveis (aquelas com baixo teor de grãos integrais, frutas e vegetais e com alto teor de açúcar, sal, gordura saturada e alimentos ultraprocessados) foram um importante fator de risco evitável para o desenvolvimento das doenças crônicas não transmissíveis (DCNT), como as doenças cardiovasculares (líderes de óbito em todo planeta), obesidade, diabetes tipo 2, doença renal crônica e câncer, entre outras.[1]

Quando li esse artigo pela primeira vez, fiquei assustada e cada vez mais preocupada com o modo como as pessoas, em escala mundial, estão se alimentando. Tomar conhecimento de que 11 milhões de vidas foram ceifadas do planeta em 2017 em consequência de deficiências nutricionais causadas por escolhas alimentares inadequadas é chocante. E constatar que 255 milhões de anos de vida útil foram encurtados por esse mesmo motivo é inaceitável!

Talvez você não compreenda num primeiro momento o que está escrito acima, assim como eu tive que ler duas vezes para digerir melhor o que os autores desse estudo quiseram nos informar. Esse número absurdo de 255 milhões de anos de vida útil que foram encurtados foi calculado a partir de uma nova ferramenta criada na década de 1990 chamada *DALY – Disability-Adjusted Life Year*, ou seja, Ano de Vida Ajustado por Incapacidade.

Essa é uma medida cada vez mais utilizada no campo da saúde pública para avaliação dos impactos sobre a saúde e cálculo dos anos de uma vida saudável perdidos em consequência de estados de doença ou por deficiência.

Destrinchando em miúdos: a expectativa de vida ao nascer aumentou de 67,2 anos em 2000 para 73,5 anos em 2019. Portanto, uma pessoa que nasceu em 2019 terá uma expectativa de vida de 73,5 anos, certo? Isso se tudo correr bem ao longo dessa jornada. Agora vamos imaginar que, por escolhas erradas como as de dietas não saudáveis abordadas no artigo acima, ela desenvolva, ainda jovem, uma diabetes tipo 2 (DM2). Sabemos que, infelizmente, 50% dos portadores de DM2 desconhecem esse fato e, por falta de controle da glicemia, no decorrer dos anos (geralmente em torno de uma década) poderão descobrir ao receber o devastador diagnóstico de um problema renal irreversível. E vale lembrar que a falência renal é uma das principais causas de indicação para hemodiálise no Brasil em consequência da DM2 não controlada.

Mas podem ocorrer também danos na retina (um tecido no fundo do globo ocular) que costumam culminar em cegueira. Ou ainda um comprometimento dos nervos periféricos que influenciam a sensibilidade. A pessoa não percebe que machucou o pé e, com a dificuldade de cicatrização por conta da DM2, pode evoluir para gangrena. Você sabia que, no mundo, um membro inferior é amputado a cada trinta segundos?

    E aqui fica a pergunta: você acha que essa pessoa descrita acima viverá em plenitude sua expectativa de 73,5 anos? E, mesmo que viva todo esse tempo, quais serão as limitações durante esse percurso, principalmente na sua qualidade de vida? É exatamente esse cálculo que a ferramenta *DALY* faz. Portanto, em 2017, além do número absurdo de 11 milhões de mortes, tivemos o encurtamento de vida produtiva em 255 milhões de anos!

    Comer de forma errada está causando mais mortes do que quaisquer outros fatores de risco em todo mundo – incluindo o tabagismo, que causou mais de 7 milhões de mortes por ano –, destacando a necessidade urgente de melhorar a dieta humana em todas as nações.[2]

    O mundo vive atualmente a maior crise de saúde dos últimos tempos por conta da pandemia da Covid-19, cuja causa foi classificada como uma doença infecciosa, mas que apontou para um problema ainda maior com a associação dessa infecção com uma série de doenças crônicas não transmissíveis (DCNT). São duas categorias de doença interagindo e levando a mais óbitos.[3] O que, no começo, foi chamado de pandemia tornou-se uma *sindemia*. Esse termo foi usado pela primeira vez na década de 1990, por Merrill Singer, um antropólogo médico americano que, junto com Emily Mendenhall e colegas, publicou, em 2017, na revista *The Lancet* (sim, a mesma do artigo citado no começo do capítulo) o que era uma abordagem sindêmica: interações biológicas e sociais que aumentam a susceptibilidade de uma pessoa em relação ao prognóstico, ao tratamento e ao desfecho de uma doença.[4]

A natureza sindêmica da ameaça que enfrentamos significa que uma abordagem mais ampla é necessária se quisermos proteger a saúde de nossas comunidades. O que fazer enquanto políticas públicas não mudarem, promovendo ações educativas que visem à prevenção de doenças na população? Nossa população tem que ser conscientizada e alertada de que aquilo que ela coloca no prato pode mudar o destino da sua vida e do planeta.

Cada um tem que fazer sua parte. Escrever este livro, para mim, é buscar abrir seus olhos, sua mente e seu coração para cuidar melhor de você, e isso começa por aquilo que você decide comer a cada refeição.

No alimento de verdade, aquele como Deus colocou na natureza (Gênesis 1,3), há uma farmácia completa quando observamos sua matriz. Nunca chegaremos a saber exatamente o motivo pelo qual uma folha de couve-manteiga traz tantos benefícios, pois é o conjunto que trabalha em sinergia para nosso bem, não um nutriente isolado.

Lembre-se desta frase fantástica: genética não é destino! Precisamos ajudar nossas famílias a mudar de comportamento alimentar, e, para isso, a informação é nossa melhor arma.

Essas DCNT que fazem com que uma pandemia se torne uma sindemia estão enraizadas nas dietas não saudáveis passadas de geração em geração junto aos respectivos problemas de saúde. Muitas vezes, numa mesma família, encontramos as mesmas doenças muito mais por causa de hábitos alimentares nocivos, onde o meio ambiente representa 70% – sabemos hoje que a genética é da ordem de 30%.[5]

Temos a epigenética, que está acima da genética. Você pode até ter herdado do seu pai ou da sua mãe genes que levariam ao desenvolvimento de alguma doença, mas o que vai determinar se esse gatilho será acionado é o que você decide colocar no prato e que será oferecido como alimento para sua microbiota intestinal. Ela é sua tropa de choque esperando munição adequada para defendê-lo.

Toda vez que uma fibra alimentar não consegue ser digerida pelo seu intestino delgado (duodeno) e chega praticamente intacta no intestino grosso, mais precisamente no cólon, ela se torna o alimento preferencial das bactérias intestinais. Essas, através da fermentação, elaboram produtos incríveis que serão disponibilizados no intestino, passando a agir local e sistemicamente. Isso porque, ao atingirem a corrente sanguínea, um desses produtos, o butirato, pode interromper o crescimento de tumores que você nem imaginava que estivessem crescendo, promovendo uma morte celular programada chamada de apoptose.

Fantástico?! Isso é apenas a pontinha do iceberg das maravilhas que a nossa microbiota e nosso microbioma intestinais podem fazer por nós.

2

UM ÓRGÃO DIGNO DE SER COLOCADO NO TRONO

Sou apaixonada por esse órgão fantástico que durante tantos anos ficou no anonimato de suas nobres funções, sendo considerado apenas um grande órgão excretor cuja tarefa é pouco discutida nas rodas sociais. Aliás, diga-se de passagem, muitas pessoas nem gostam de ver aquilo que eliminaram, e esse fato ficou muito claro durante minhas anamneses (aquela conversa entre o profissional da saúde e o paciente para investigação de sinais e sintomas que ele apresenta).

Várias vezes esta cena se repetia: eu pegava minha Escala de Bristol, que você encontrará na figura da página 35, contendo as diversas formas e consistências das fezes, colocava sobre a mesa, em frente ao paciente, e perguntava: "Como são suas fezes?".

— Não faço ideia, doutora...

— Como assim? Você não olha depois de evacuar?

— Eu, não! Já dou a descarga antes mesmo de me levantar do vaso, para nem ver o que estava ali!

No começo eu ficava muito surpresa com esse tipo de resposta, até descobrir que essa atitude é mais frequente do que eu poderia imaginar.

Uma pergunta frequente quando estamos nesse momento da consulta é: "Doutora, a

Tipo 1 – Pedaços separados, duros como amendoim

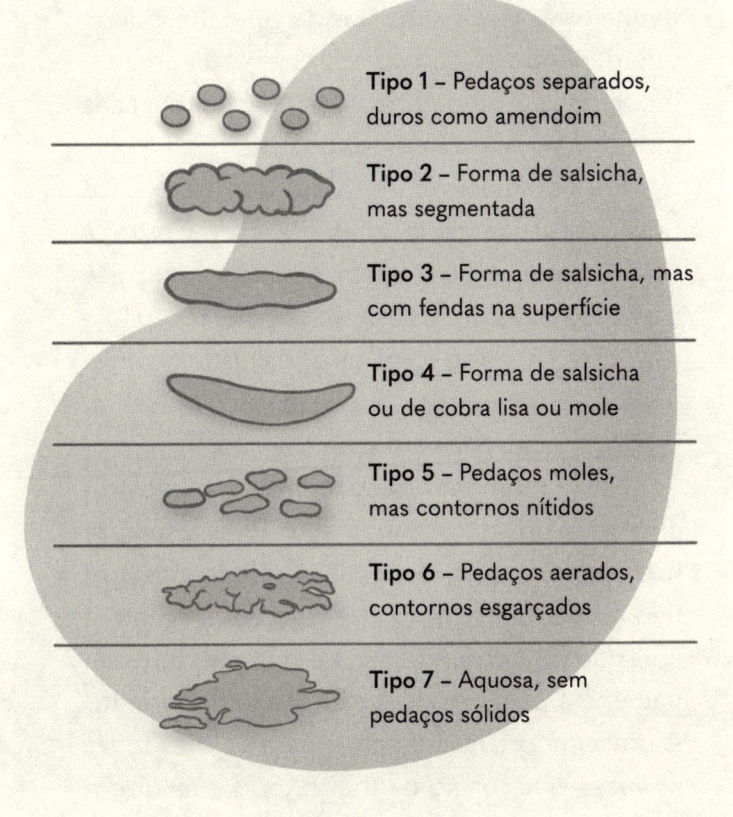

Tipo 2 – Forma de salsicha, mas segmentada

Tipo 3 – Forma de salsicha, mas com fendas na superfície

Tipo 4 – Forma de salsicha ou de cobra lisa ou mole

Tipo 5 – Pedaços moles, mas contornos nítidos

Tipo 6 – Pedaços aerados, contornos esgarçados

Tipo 7 – Aquosa, sem pedaços sólidos

Figura 1 – Escala de Bristol.

propósito, já que estamos falando disso, o que é considerado normal quando se fala em ir ao banheiro?". Essa é uma dúvida geral. Respondo que depende de cada pessoa, de cada organismo. É considerado normal ir ao banheiro a cada dois dias ou até três vezes ao dia.

Eu, particularmente, gosto de pelo menos uma evacuação diária, e, ao prescrever probióticos – isto é, as boas bactérias que fazem parte do nosso intestino (falaremos delas no capítulo 4) –, esse hábito se torna uma realidade quando, é claro, aliado à retirada de produtos industrializados que atrapalham esse trânsito.

Nesse momento, peço ao paciente que procure criar uma rotina, indo ao banheiro sempre no mesmo horário, ainda que o reflexo intestinal não tenha ocorrido. O intestino é inteligente e aprende muito rápido. Nós é que não temos a paciência para ensiná-lo. Em seguida, oriento sobre a importância de olhar para as fezes todas as vezes que for ao banheiro, pois elas dizem muito a nosso respeito.

— O quê? O "número 2"?

— Exatamente — respondo. — Vamos imaginar que as suas fezes são como uma banana de casca escura no fundo do vaso sanitário. Sabia que apenas um terço de todo o volume é resto de comida?

— Sério? E o restante? — exclama geralmente o paciente, com uma fisionomia atônita.

— Dos dois terços restantes, um são células mortas da parede do intestino que você troca quase todos os dias e o outro são bactérias intestinais mortas.

— Como assim?! — O olhar do paciente passa de atônito para quase incrédulo.

Eu fiz questão de mostrar, no desenho a seguir, a quantidade de água presente nas fezes e coloquei tudo em compartimentos separados para você ter uma ideia da importância de beber água. Muitas vezes o problema da obstipação é simplesmente falta de hidratação correta.

Como calculamos isso? Simples. Multiplique 35 mililitros de água por seu peso e encontrará o

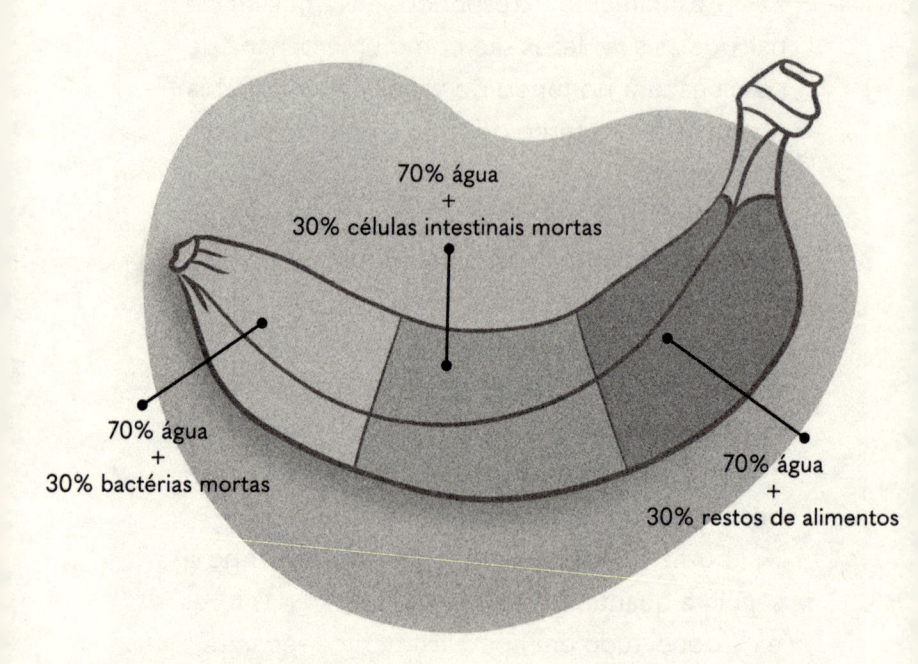

Figura 2 – Composição das fezes.

volume necessário por dia. Eu costumo orientar que pelo menos 1 litro tem que vir de uma água de boa qualidade e o restante dos alimentos.

Explico de maneira lúdica – para surpresa de muitos – que nosso intestino é como um tubo revestido por carpete, que é substituído inteirinho ao final de seis a sete dias. O processo de renovação, entretanto, é diário. As células novas levam de três a quatro dias para substituírem as velhas, que são descamadas, fornecendo de 10 a 25 gramas por dia de proteínas endógenas (que se originam no interior do nosso organismo).[1]

Repare no desenho da página 41 que esse tubo não é liso, pois a presença de dobras circulares já triplica o seu tamanho. Toda sua superfície é recoberta por vilosidades que se assemelham aos dedos de uma luva. E cada uma dessas vilosidades é recoberta por células absortivas chamadas de enterócitos. São elas que trocamos nessa velocidade inimaginável e que compõem praticamente 30% das nossas fezes.

E quanto às bactérias intestinais, elas representam pelo menos 2 quilos de seu peso corporal.[2] *Só no intestino*, temos uma bactéria para aproximadamente uma célula do nosso corpo.

Até 2016, falava-se de dez bactérias para cada célula humana, mas, com o avanço das técnicas de pesquisa, descobriu-se que o número correto é 1,3 bactéria para cada uma de nossas células. Continuamos sendo (em termos celulares) mais bactérias do que humanos. Falarei mais sobre elas no capítulo 5.[3]

Voltando à conversa com o meu paciente, o que foi falado até agora foi a respeito da excreção. Chegou a hora de mudar o foco e falar do processo que antecede a evacuação; isto é, a mastigação, a digestão e a absorção dos alimentos. As pessoas e a mídia costumam dizer que nós somos o que comemos! Eu sempre contestava dizendo que, na verdade, nós seríamos aquilo que conseguíamos absorver – e ainda completava dizendo: e você verá que, até o alimento chegar a esse nível absortivo, ele

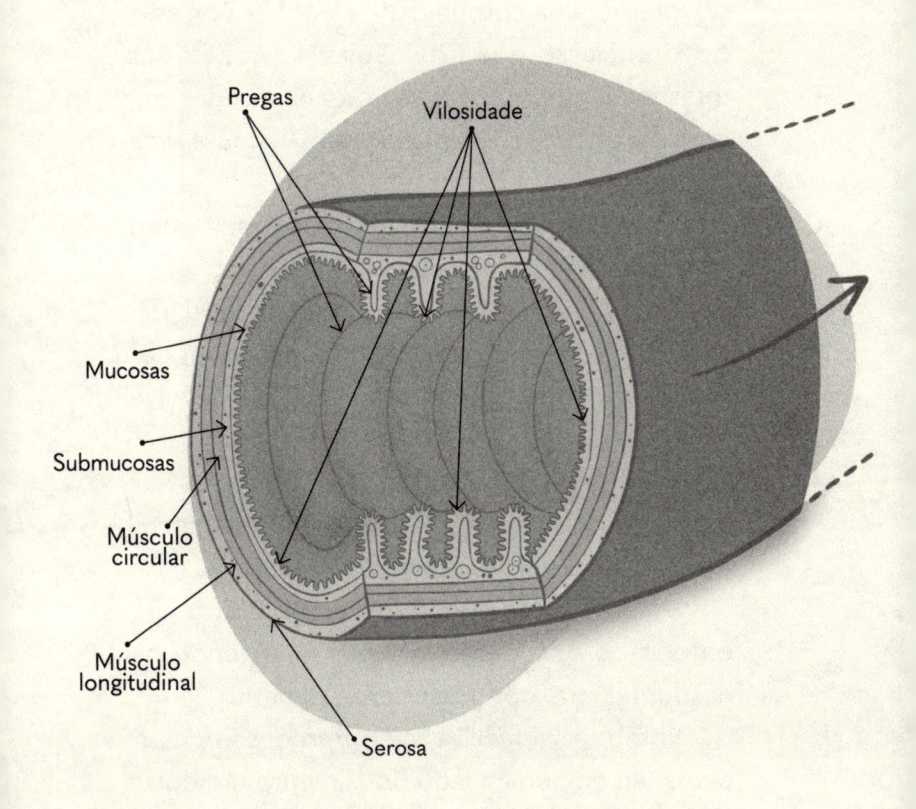

Figura 3 – Anatomia das paredes intestinais interna e externa.

passa por diversas etapas. Mas, com o aumento do interesse da comunidade científica por esse novo universo que nos habita – as bactérias intestinais (que doravante vou chamar de "microbiota intestinal", termo correto) –, houve uma inversão de paradigma.

Talvez seja uma novidade para você, meu caro leitor, minha cara leitora, mas sinto informar que você não come para si! Na verdade, você alimenta sua microbiota intestinal e, dependendo do que lhe é oferecido, ela devolve saúde ou não.

Durante as consultas, eu costumo mostrar um modelo plástico que representa um alimento de verdade e afirmo, apontando para ele:

— Você come comida, mas seu corpo não entende o que é comida. Ele só entende os nutrientes que compõem esse alimento.

Então, para facilitar a compreensão dessa etapa, eu coloco ao lado do alimento um colar de pérolas e digo:

— Vamos imaginar que esse brócolis fosse representado por um colar de pérolas. Você ingere o brócolis (o colar), mas seu organismo vai precisar quebrá-lo nos menores pedaços para que, na forma de nutrientes (as pérolas), eles possam ser absorvidos. Tudo isso ocorre na primeira parte do intestino delgado, no duodeno.

Figura 4 – Brócolis e colar.

Esse processo é feito pelas nossas enzimas digestivas, que eu represento como uma tesoura cortando o colar para liberar as pérolas.

A maioria dos alimentos tem os três macronutrientes: proteínas, gorduras e carboidratos, que deverão ser quebrados, respectivamente, em aminoácidos, ácidos graxos e -*oses*, isto é, glicose, frutose, galactose etc.

proteínas
↓
aminoácidos

gorduras
↓
ácidos graxos
↓
carboidratos
↓
-*oses* (glicose, frutose, galactose etc.)

Excluindo as raras exceções, como o mel, que é 100% carboidrato, os óleos, que são 100% gordura, e as proteínas de origem animal, que não possuem carboidrato (elas têm apenas proteína e gordura), os outros alimentos contam com os três macronutrientes juntos. Quando digo que o limão, por exemplo, tem gordura na sua composição, a maioria das pessoas fica surpresa!

Sabemos que podemos absorver dipeptídeos (duas pérolas) e até tripeptídeos (três pérolas), que depois são reduzidos em pérolas individuais dentro das células intestinais (nos enterócitos). Mas, para facilitar a compreensão desse mundo novo, eu reduzo a absorção de forma lúdica a uma única pérola.

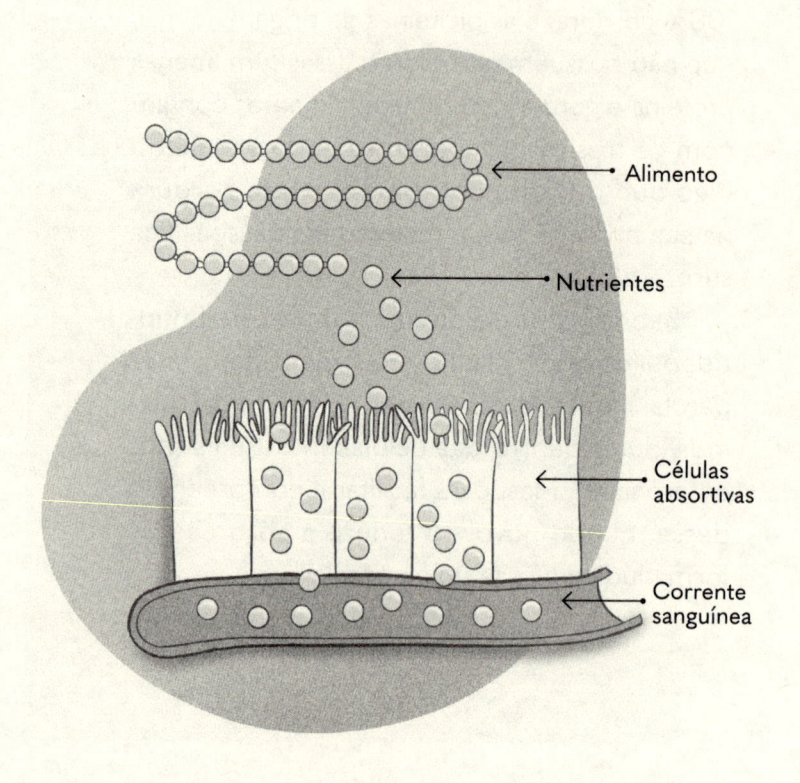

Figura 5 – Digestão, absorção e transporte dos nutrientes.

Depois dessa grande novidade, a pergunta clássica é:

— Quer dizer que a digestão não é feita no estômago, doutora?

— Exatamente. A única coisa que seu estômago faz em termos de digestão é o início da quebra das proteínas e, para que isso ocorra, seu estômago tem que se encontrar bem ácido para ativar uma enzima que iniciará todo esse processo. Essa é a razão pela qual produzimos ácido clorídrico (HCl) nesse momento. É como se no seu estômago você tivesse uma tesoura fechada (inativa) que, somente na presença de um ambiente ácido, consegue ser ativada.

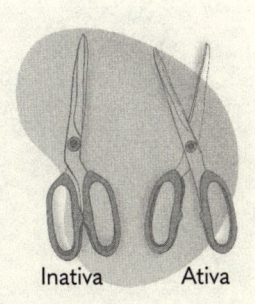

Inativa   Ativa

Figura 6 – Representação das enzimas quando inativas (fechadas) e ativas (abertas).

Nosso corpo é como uma grande linha de montagem, igual à que vemos nos filmes. Todos sabem o que receberão do colega ao lado e o que tem que ser feito a seguir.

Imagine se o estômago não conseguisse executar a primeira quebra da proteína? O que iria acontecer na sequência? Imagine igualmente aquelas pessoas que fazem uso contínuo dos inibidores de bomba de prótons (os *-prazois* da vida) que não deixam o ácido clorídrico ser produzido durante várias horas.

Figura 7 – Eu perplexa...

Não resisto em fazer essa observação, pois recebo pacientes tomando esses medicamentos há anos, prescritos no passado por gastroenterologistas. Só que foram ao médico porque tinham refluxo ou dor no estômago e, quando começaram a tomar a medicação, o sintoma passou e... Eles nunca mais voltaram ao médico, mas continuaram tomando o remédio!

Quem prescreve remédios são os médicos e quem deve retirá-los também são os médicos. Nós, nutricionistas, não temos esse poder, mas, pelo amor de Deus, não se deve tomar medicamentos, principalmente desse tipo, indiscriminadamente. E se você for ler a receita, certamente encontrará escrito: usar por trinta dias. Depois, é preciso retornar ao médico para uma nova avaliação. Conforme a bula da medicação, geralmente o alívio dos sintomas é rápido e a cicatrização ocorre no intervalo de quatro semanas no caso de úlcera gástrica. Aos pacientes que não obtiveram cicatrização nesse tempo, recomenda-se um período adicional de quatro semanas, dentro do qual geralmente ocorre a cicatrização.

Se for seu caso, marque uma nova consulta com seu gastroenterologista para uma avaliação e converse sobre a retirada do medicamento, que é maravilhoso quando necessário, mas se torna perigoso com o uso contínuo. Além de prejudicar a absorção de vários nutrientes, há numerosos artigos científicos associando o uso contínuo à demência. Sem falar na confusão que acontece no organismo por não ter seu estômago ácido no momento da primeira quebra (digestão) das proteínas.[4]

Antes de passar para a segunda etapa da explicação e voltando para meu paciente, digo que, agora que ele entendeu todo o processo da digestão, eu gostaria de saber como é a sua mastigação, já que, ao examiná-lo, pude observar que ele tem dentes perfeitos.

— Você mastiga pelo menos trinta vezes antes de engolir um alimento sólido?

— Puxa, doutora, para ser bem sincero, eu não mastigo, eu literalmente engulo a comida, pois sempre estou com pressa.

Essa é a realidade da sociedade contemporânea: a pressa. Estamos sempre atrasados, agitados, enfim, jogando cortisol na corrente sanguínea o tempo todo. Isso leva ao famoso estresse, e você verá o quanto ele é deletério para sua saúde – principalmente para seu intestino – quando produzido de forma crônica.

Mas há uma outra realidade que observo nos pacientes que relatam não mastigar muito, mesmo tendo tempo suficiente e ambiente tranquilo para suas refeições: excesso de alimentos industrializados e ultraprocessados. Pobres em fibras, ricos em sódio e, em geral, com carboidratos de alto índice glicêmico, ao serem colocados na boca eles praticamente se desfazem. E rapidinho se transformam em açúcar no seu corpo.

Dedicaremos o capítulo 7 às fibras, que sempre foram reconhecidas pela ciência como essenciais para uma boa saúde e que, hoje sabemos, fazem bem para nós, mas também para nossa microbiota intestinal.

Precisamos mastigar bem para facilitar a digestão e procurar entregar o alimento o mais quebrado possível ao estômago, que fará de tudo para que o ácido clorídrico ali presente possa agir na maior superfície possível dos alimentos.

Sobre esse processo, uma das coisas que poucas pessoas sabem é que uma das funções mais importantes da mastigação é a produção de saliva. Ela contém anticorpos chamados "imunoglobulinas" que começam defendendo o organismo de possíveis intrusos que possam entrar pela boca, inclusive enquanto você conversa. Seu sistema imune começa aqui!

Há cinco tipos de imunoglobulinas, e aquela presente na sua saliva é a IgA, que faz uma verdadeira faxina no alimento quando você executa a função correta que foi planejada pela natureza: mastigar bem os alimentos antes de engolir.[5] Lembre-se de que seu corpo não tem livre-arbítrio (graças a Deus!) e faz exatamente aquilo que foi determinado por anos de evolução. Portanto, faça sua parte.

Uma das informações mais convincentes para conscientizar da importância da mastigação é informar que, ao longo da vida, uma pessoa consome cerca de 60 toneladas de comida e com ela uma abundância de microrganismos que se tornam uma grande ameaça para a integridade intestinal.[6]

Além disso, você lembra que eu comentei que trocamos todas as células de revestimento do nosso intestino a cada seis ou sete dias, mas que esse processo de renovação é diário? E que uma célula nova para substituir uma velha leva de três a quatro dias? Pois bem, na sua saliva há um promotor de crescimento que, ao chegar ao intestino, ajuda a realizar essa troca celular.[7] Consegui convencer você a mastigar mais?

Ah! E fica aqui uma dica. Se estiver difícil mastigar trinta vezes no início, troque seu garfo de refeição pelo garfo de sobremesa. Vai ajudar bastante. E como saber se você está de fato mastigando mais? Quando você for uma das últimas pessoas a sair da mesa, é provável que esteja.

Figura 8 – Garfos de refeição principal e sobremesa.

Agora chegou o momento favorito: apresentar a anatomia do intestino para que você entenda todos os passos da digestão e da absorção que nele ocorrem.

O que costumamos chamar de intestino, na verdade, são dois: o intestino grosso e o intestino delgado.

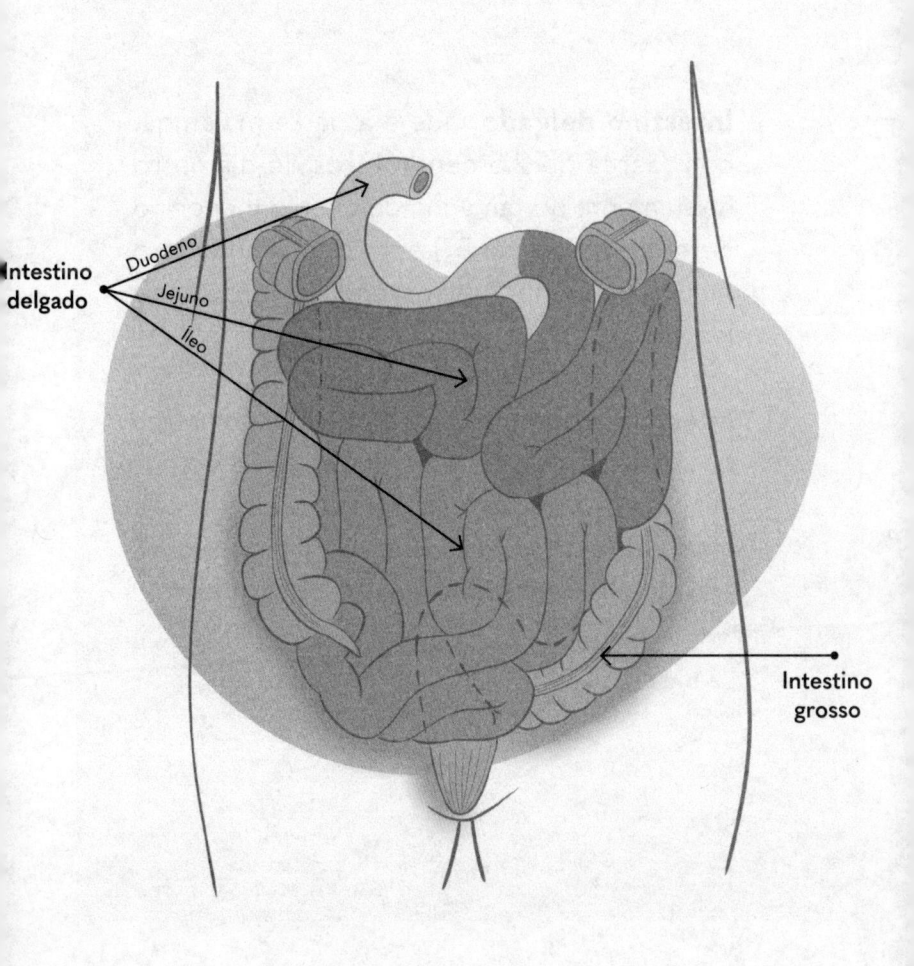

Figura 9 – O intestino delgado e o intestino grosso.

Intestino delgado, que é a parte mais fina, com cerca de 2,5 centímetros de diâmetro (exatamente do tamanho do círculo menor no desenho da página 57) e aproximadamente 6 metros de comprimento, sendo a víscera mais longa do corpo.

Intestino grosso, com cerca de 6 centímetros de diâmetro (exatamente do tamanho do círculo maior no mesmo desenho da página 57), mais que o dobro do intestino delgado e com aproximadamente 1,5 metro de comprimento.

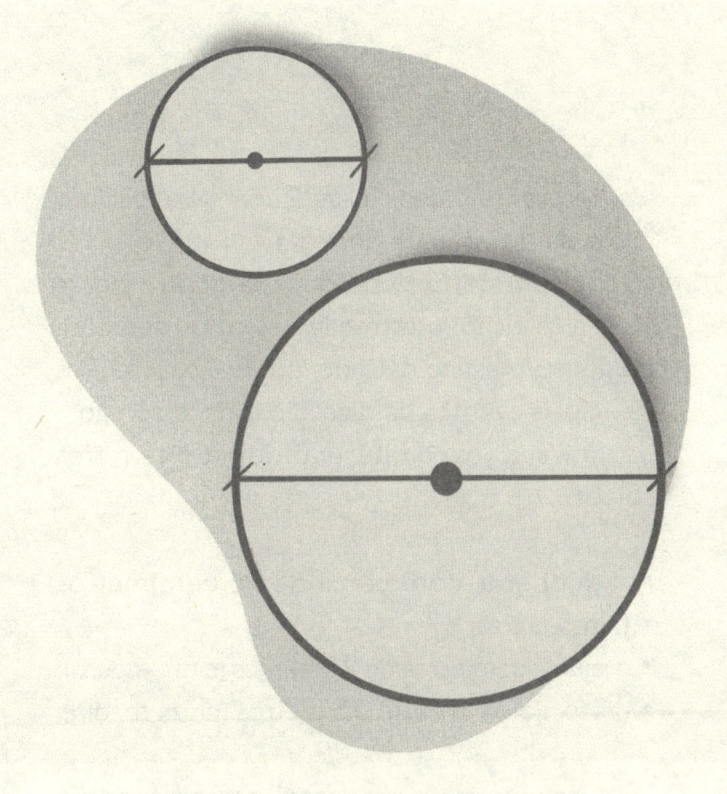

Figura 10 – Diâmetros reais do intestino delgado e do intestino grosso.

É na primeira porção do intestino delgado, chamada "duodeno", que fazemos a grande digestão (quebra) e absorção de tudo o que comemos. Como já mencionei, a maioria das pessoas acha que a digestão ocorre no estômago e, para a surpresa de muitos, esse é apenas o local do início da digestão da proteína.

Em um período de duas a quatro horas após a refeição, o estômago esvaziou seu conteúdo no intestino delgado, no qual ocorrem os principais eventos da digestão e da absorção.

Por sua vez, o intestino delgado tem três partes:

- o duodeno, com cerca de 25 centímetros (cinza-claro);
- o jejuno, com cerca de 2,5 metros (cinza-escuro);
- o íleo, com cerca de 3,5 metros (cinza médio).

Costumo fazer um desenho numa folha A4 para mostrar de forma lúdica como são os processos digestivo e absortivo. Quando digo que a primeira parte do intestino delgado recebeu o nome "duodeno", pois significa que tem o tamanho de doze dedos, imediatamente coloco meus dedos de quatro em quatro sobre a folha A4, o que representa praticamente a extensão do duodeno.

Duodeno

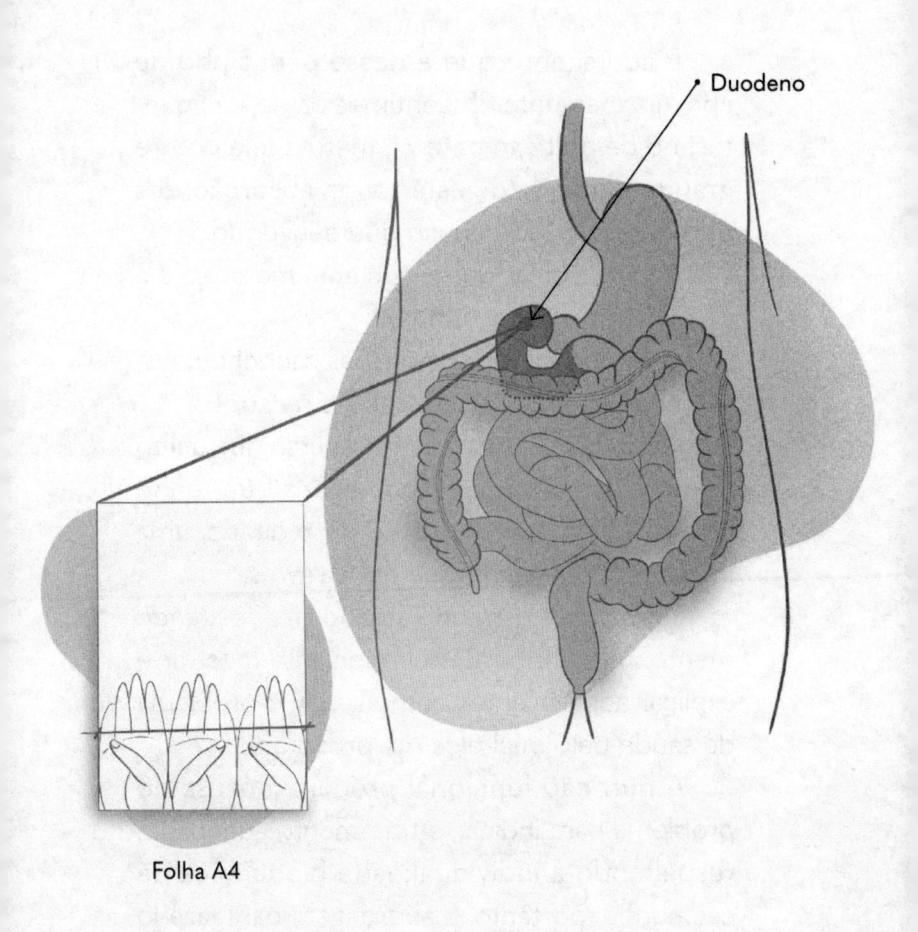

Folha A4

Figura 11 – Representação lúdica do duodeno (12 dedos) com a largura de uma folha A4.

E acrescento que é nesse pedacinho de aproximadamente 25 centímetros do longo intestino de praticamente 7,5 metros que ocorre grande parte da digestão e da absorção dos nutrientes de tudo aquilo que é ingerido.

Agora, o olhar que o paciente me projeta é de espanto, e eu continuo:

— E você vai ver como Deus caprichou nesse pedacinho para dar conta do recado!

Além de desenhar, outro recurso que utilizo durante as consultas são imagens que tenho no meu computador. Como diz o ditado, uma imagem vale mais do que mil palavras.

Talvez você estranhe essa forma de atendimento, mas acho muito importante mostrar e explicar aos pacientes como surgiu o problema de saúde pelo qual eles me procuram.

A nutrição funcional procura a causa do problema para indicar o tratamento adequado, respeitando a individualidade bioquímica de cada um e, portanto, a abordagem para fazê-lo recuperar sua saúde. Como diz o título deste livro, *tudo começa no intestino*. Mesmo em casos graves, para os quais sabemos que não há esperança de cura, a nutrição funcional pode ser uma grande aliada para o controle da doença e a melhora de qualidade de vida do paciente e, consequentemente, de toda sua família e das pessoas que o cercam. O que me encanta nessa área, aliás, é justamente a visão integrativa do ser humano (física, psíquica e espiritual) e a busca da causa-gatilho para eliminá-la.

Nesses mais de quinze anos de atendimento em consultório, pude ter a certeza de que a nutrição é determinante em todo processo, desde a prevenção de doenças até o controle e – por que não dizer? – a cura em alguns casos. E a grande explicação que encontrei para isso foi justamente que a alimentação, antes de ser nutritiva para nós, é alimento para nossa microbiota intestinal; assim, dependendo do que comemos e fornecemos a ela, recebemos de volta saúde (ou não).

Isso mesmo: é a sua microbiota intestinal, sobre a qual falaremos extensivamente ao longo deste livro, que determina tudo no organismo, inclusive sua personalidade!

Retomando: os principais eventos da digestão e da absorção ocorrem no intestino delgado, que tem, portanto, uma estrutura adaptada para essa função. Sua extensão fornece grande superfície para a digestão e a absorção, sendo ainda muito aumentada pelas pregas circulares, vilosidades e microvilosidades que o compõem.

Tais vilosidades se encontram em toda a extensão do duodeno e, quando as analisamos num potente microscópio, observamos que há sistemas arterial, venoso e linfático *em cada uma*, como na imagem a seguir. É através deles que os nutrientes absorvidos serão distribuídos pelo nosso corpo.

Cada uma dessas vilosidades é protegida por uma extensa "parede" formada pelas células absortivas, os enterócitos, que possuem, em suas extremidades, voltadas para o interior do

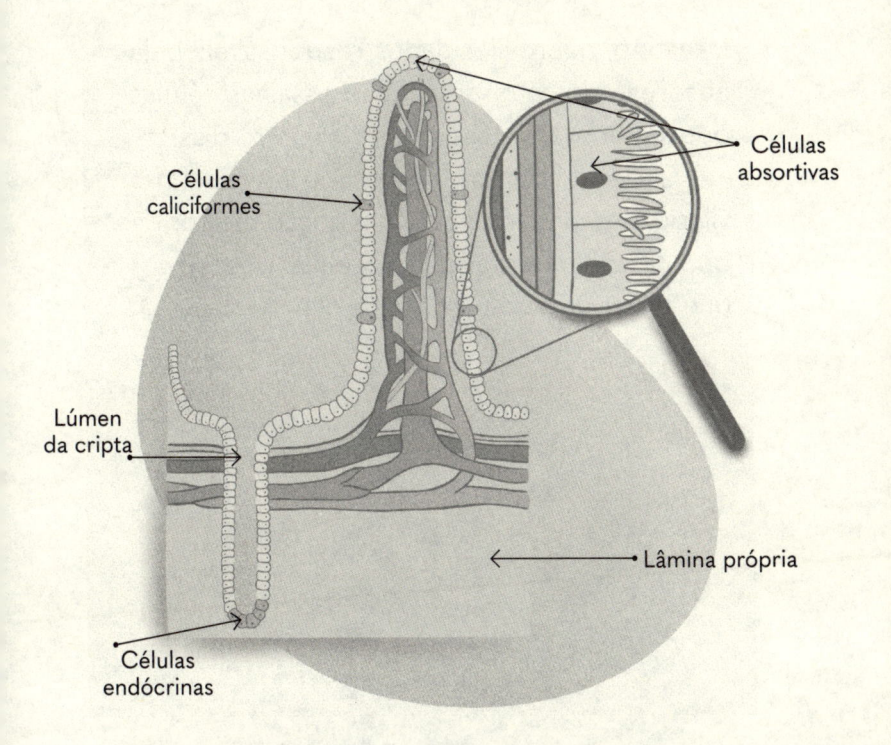

Figura 12 – Corte de uma vilosidade da parede do intestino delgado, onde estão demonstrados os capilares sanguíneos (arterial e venoso) e linfático.

intestino, microvilosidades responsáveis pela absorção dos nutrientes. São essas as células que se renovam a cada três ou quatro dias.

Quando fazemos um corte transversal nas vilosidades, podemos ter uma noção melhor da quantidade de enterócitos (células absortivas) que envolvem cada vilosidade.

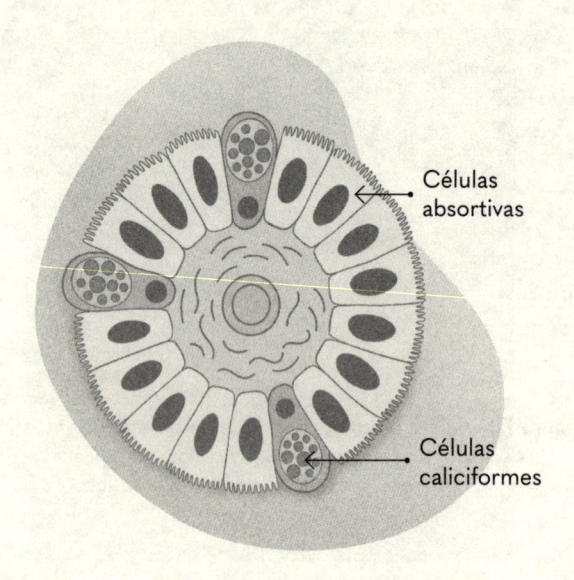

Figura 13 – Corte transversal visto de cima de uma vilosidade do intestino delgado.

Todas essas estruturas acabam ampliando a área de absorção dos nutrientes. E, como resultado, o intestino é a maior área do corpo em contato com o ambiente externo por meio daquilo que comemos. Corresponde, quando totalmente esticado, a uma superfície que pode variar de 250 metros quadrados (uma quadra de tênis) a 400 metros quadrados (uma quadra de basquete).

Um intestino saudável tem alto poder seletivo. E a parede que o compõe vai definir o que é nutriente e pode ser absorvido daquilo que são elementos indesejáveis e deverão ser excretados. Aqui está o grande segredo para preservarmos nossa saúde física e mental: manter a integridade da parede intestinal.

E tem mais um detalhe: olhe para a parede do local em que você está. Para que ela se encontre em boas condições, deve ser rebocada (tal qual o muco que reveste o intestino), com os tijolos protegidos bem firmes dentro dela, ligados um ao outro por cimento, certo?

Claro que não é um "cimento" que une os enterócitos, mas há, sim, algumas "amarras", ou proteínas de adesão, conhecidas pelo termo técnico em inglês *tight junctions*, isto é, junções apertadas. Repare no desenho a seguir quantas proteínas diferentes ligam um enterócito a outro

Proteínas de
junção compacta
(claudinas e ocludinas)

Proteínas de
ancoramento intracelular

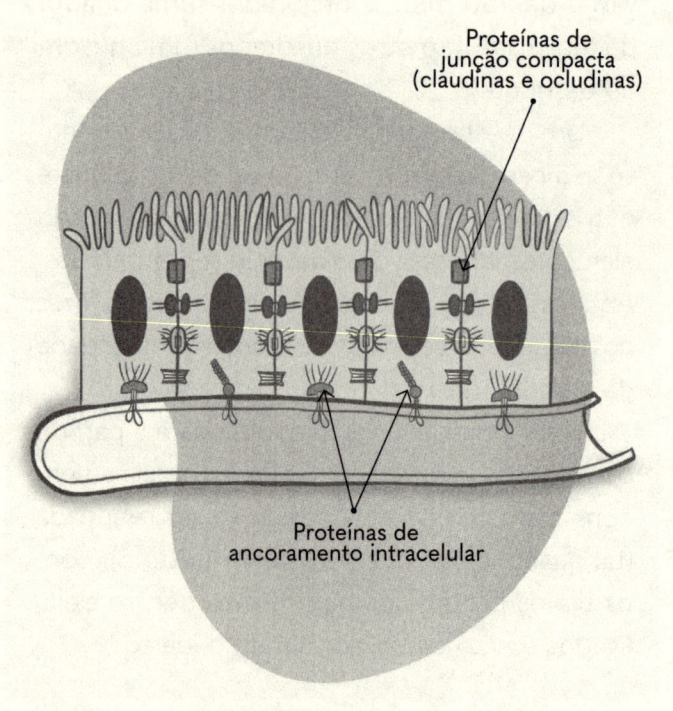

Figura 14 – A complexidade de proteínas de adesão
que unem umas células às outras e à sua base.

e à sua base. Tudo para conferir o máximo de integridade à parede intestinal.

Essa é a maior barreira do corpo com o mundo exterior: duzentas vezes maior do que a barreira da pele. Só o duodeno representa cem vezes a extensão de toda a pele.

Trata-se de uma grande estratégia evolutiva para impedir que substâncias ainda presentes no intestino, as quais deveriam ser excretadas, passem por entre as células em vez de serem absorvidas através das microvilosidades.

São essas proteínas de adesão que conferem ao intestino a integridade necessária para cumprir sua função de barreira, impedindo, principalmente, a entrada de proteínas mal digeridas e fragmentos de bactérias gram-negativas [lipopolissacarídeos (LPS)]. Você verá no capítulo 5 a encrenca que ocorre quando esses fragmentos ultrapassam seus limites e acabam passando para a corrente sanguínea.

Caso essa parede intestinal esteja corrompida (e veremos adiante o que causa isso), ela permitirá a passagem desses elementos que, ao atingirem a corrente sanguínea, podem iniciar um quadro de alergia alimentar e um processo inflamatório.

Já é bem conhecido pela ciência quão deletéria é aquela inflamação subclínica, a inimiga silenciosa, que não aparece em nenhum exame bioquímico, mas vai deteriorando a nossa saúde aos poucos, dia após dia. Não se trata da inflamação aguda, fisiológica, que leva um tempo para começar e outro para terminar. Essa é importante para nos defender. Mas aquela que se torna crônica é a responsável por uma infinidade de doenças. Essa realidade já é conhecida há um bom tempo, tanto que foi capa da revista *Times* em fevereiro de 2004.

Tudo no organismo é feito para que possamos aproveitar a totalidade daquilo que comemos. Lembre-se de que nossa civilização sobreviveu na época de escassez de alimentos por conta desses mecanismos maravilhosos.

Posso ter uma excelente alimentação, mas uma péssima nutrição. É a típica situação que ocorre quando duas pessoas comem a mesma coisa, mas a resposta metabólica é completamente diferente.

Terminada a tarefa do intestino delgado, o que ele não conseguiu digerir (quebrar) vai para o intestino grosso. Em vez de células absortivas, o intestino grosso conta com um exército de bactérias (nossa microbiota intestinal) cuja função é também digerir (quebrar) o resto de comida que o intestino delgado não conseguiu, principalmente as fibras.

Talvez você esteja pensando: *Quer dizer, doutora, que, se essas bactérias não estivessem lá, eu eliminaria os restos de comida que, por não terem sido digeridos (ou quebrados), não seriam absorvidos e, consequentemente, eu não engordaria tanto?*

Só que não podemos nos esquecer de que essas bactérias que compõem nossa microbiota intestinal nos acompanham há milhares de anos e evoluíram conosco, numa época em que encontrar alimentos era uma tarefa cruel e fazia a diferença entre sobreviver ou morrer. Além do mais, ao se alimentarem, isto é, fermentarem fibras, suas bactérias devolvem para você ácidos graxos de cadeia curta (AGCC), entre os quais há um chamado de butirato que faz maravilhas no seu organismo.

No capítulo 4, você verá que esses ácidos graxos não estão no intestino grosso, mais precisamente no cólon, apenas para absorver com mais eficiência tudo aquilo que você come e adoraria que não fosse contabilizado em calorias. Nosso sistema imunológico tem um interesse especial por eles.

Por fim, vale citar uma pequena protuberância no intestino, conhecida por todos nós como apêndice. Nosso apêndice é como se fosse uma bolsa de 5 a 10 centímetros de comprimento e 0,5 a 1 centímetro de largura localizada onde termina o intestino delgado e começa o intestino grosso. Veja a imagem da página 73.

Antigamente pensava-se que o apêndice era algum vestígio esquecido da evolução humana e só servia para nos levar ao hospital para realizar uma cirurgia de urgência por conta da famosa apendicite (-*ite*, em português, designa uma inflamação). Mas tenham certeza de uma coisa: nada do que temos em nosso corpo é dispensável ou existe à toa. A evolução já se incumbiu de "enxugar as gorduras", isto é, tudo o que era desnecessário tem pouca chance de superar os rigores da seleção natural. E isso diz respeito também ao apêndice.

Em 2007, dois pesquisadores americanos, Randal Bollinger e William Parker, publicaram um estudo surpreendente mostrando que o pequeno apêndice de nosso intestino, além de ser formado inteiramente de tecido imunológico, é um excelente esconderijo para guardar uma seleta coleção das mais refinadas bactérias da nossa identidade microbiana intestinal.[8]

No caso de uma exposição a um patógeno seguida de uma diarreia, esse arsenal fornecerá suporte para o crescimento bacteriano, facilitando a reinoculação do cólon.

Por isso o apêndice fica nesse local, livre de contato com alimento e numa posição estratégica para mandar o novo exército a partir do ponto correto, de baixo para cima.

Talvez você esteja se perguntando: *E eu, que já tive meu apêndice extraído? O que vai ser de mim?*

Não se preocupe, pois o corpo sempre tem um plano B. Temos diversas células de defesa ao longo do nosso intestino e, apesar de elas não estarem tão perto umas das outras, como são em maior quantidade que as do próprio apêndice, acabam dando conta do serviço.

Lembre-se de que 70% do seu sistema imunológico está no intestino.

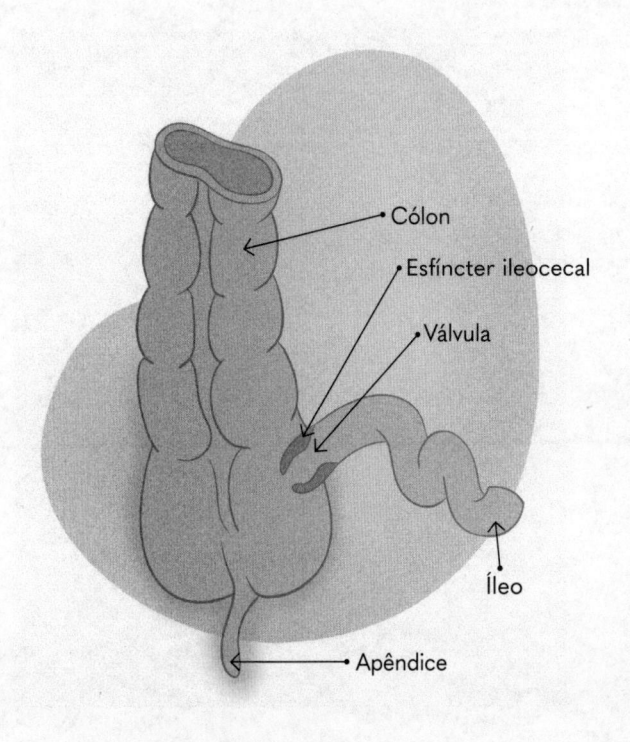

Figura 15 – Localização do apêndice.

3

INTESTINO: NOSSO SEGUNDO CÉREBRO (E QUE CONVERSA COM O PRIMEIRO)

Nas últimas décadas, a ciência dedicou-se a pesquisar de modo mais intenso e profundo o intestino humano, e as descobertas foram surpreendentes. Porém, nem todas chegaram ao conhecimento do público.

No gráfico a seguir, retirado do PubMed, um banco de dados de livre acesso com citações e resumos de artigos publicados de pesquisa em biomedicina, é possível observar o aumento de artigos publicados ao longo das décadas quando digitamos a palavra *"gut"*, que significa intestino:[1]

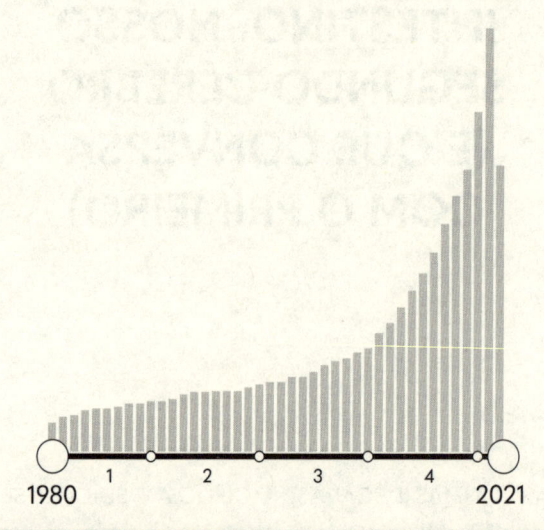

Legenda do gráfico	Década de publicação	Artigos
4	de 2010 a 2019	66.303
3	de 2000 a 2009	23.711
2	de 1990 a 1999	14.774
1	de 1980 a 1989	8.710

Para a próxima década, já temos publicados 14.488 artigos em 2020 e 9.531 em 2021 somente no primeiro semestre.

O intestino, além de realizar todas as funções conferidas no capítulo anterior, é um órgão que possui um sistema nervoso independente, capaz de produzir reflexos na total ausência de comunicação com o sistema nervoso central, isto é, com o cérebro e a medula espinhal. Por isso, ele é chamado de "o segundo cérebro".

Apesar dessa autonomia, existe uma comunicação bidirecional entre o intestino e o cérebro, conhecido como eixo intestino-cérebro, em que um influencia o outro.

Talvez você esteja se perguntando: *Por que a natureza daria tanta autonomia a um órgão?*

Acontece que as funções que o intestino desempenhava durante a evolução, como digerir e absorver nutrientes, eram de vital importância para nossa sobrevivência, portanto, a natureza se encarregou de deixá-lo por conta própria enquanto o cérebro procurava comida, planejava como escapar dos predadores e se preocupava em procriar a fim de perpetuar a espécie.

Para você entender melhor a dimensão desse outro universo em que intestino e cérebro se comunicam, vamos conhecer mais de perto o nosso sistema nervoso como um todo e, depois, nos aprofundaremos no sistema nervoso exclusivo do intestino, chamado "entérico".

Nosso sistema nervoso é dividido em duas partes: a primeira delas é formada pelo sistema nervoso central, constituído pelo cérebro e pela medula espinhal, como você poderá ver na figura a seguir, e é protegida de maneira brilhante – o cérebro se situa dentro da caixa craniana, e a medula espinhal, dentro da coluna vertebral.

Encéfalo

Medula espinhal

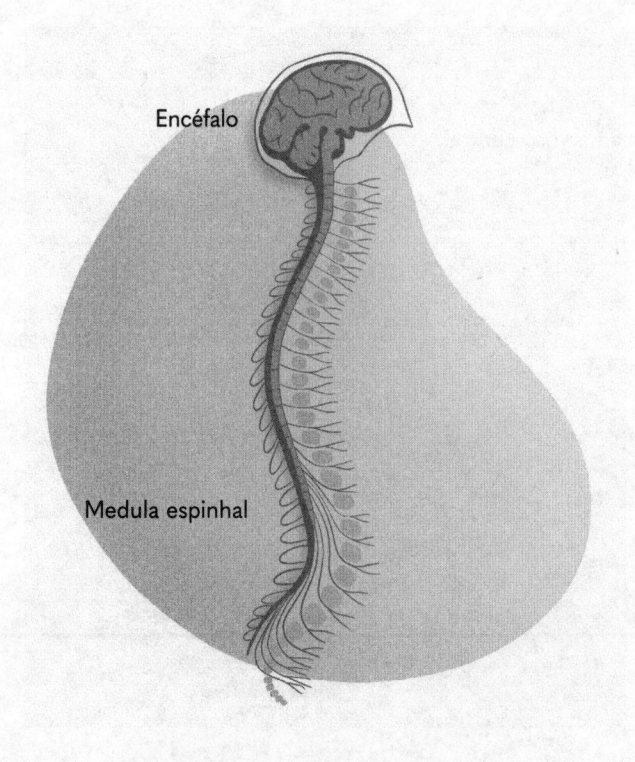

Figura 16 – Sistema nervoso central.

A segunda parte é formada pelo sistema nervoso periférico, que inclui todo tecido nervoso que está fora do sistema nervoso central.

Sistema nervoso central

Sistema nervoso periférico

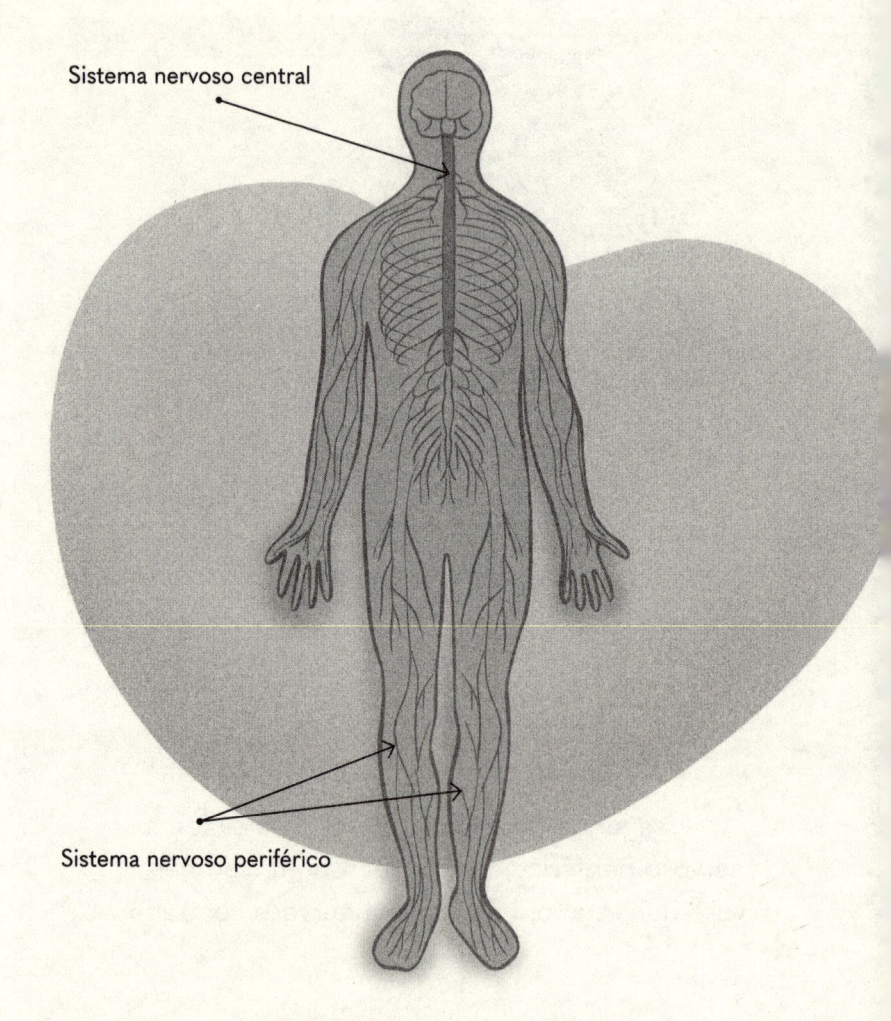

Figura 17 – Sistema nervoso periférico.

O sistema nervoso periférico é subdividido em três partes, das quais uma é voluntária, isto é, passível de ser comandada; as outras duas partes são totalmente independentes, e sobre elas você não tem controle.

A parte desse sistema nervoso que você comanda é o chamado "sistema nervoso somático" (*soma* = corpo), responsável por suas ações voluntárias envolvendo os músculos, como a movimentação de um braço ou uma perna. As outras duas são o sistema nervoso autônomo (como o próprio nome diz, *auto* = próprio) e o sistema nervoso entérico (*enter* = intestino). O sistema nervoso autônomo é aquele que faz o coração bater, o sangue circular, você respirar, todas essas ações do corpo que independem da sua vontade. Ele trabalha de duas formas: uma que acelera (sistema nervoso simpático) e outra que desacelera (sistema nervoso parassimpático) para, assim, mantermos o equilíbrio de nossas funções.

Por exemplo, se você estiver numa situação de perigo, seu sistema nervoso simpático acelera seu coração, preparando você para correr, mas depois quem entra em ação é o sistema nervoso parassimpático, que volta o batimento cardíaco à normalidade.

Já o outro sistema nervoso, o entérico, é conhecido como o "cérebro do intestino" e tem vontade própria, isto é, você também não o controla. Todos já passaram pela experiência desagradável de uma dor de barriga que não há força de vontade que segure. Ele também interfere no nosso humor, algo já bastante conhecido; afinal, quando resolve não funcionar, costumamos dizer que a pessoa fica enfezada!

O sistema entérico possui mais de 100 trilhões de neurônios (praticamente a quantidade presente na medula espinhal) exatamente iguais àquelas células que você tem no cérebro pensante e que fabricam e liberam os mesmos neurotransmissores, a saber, acetilcolina e norepinefrina, além da serotonina (95%) e da dopamina (50%), entre outros.

Mas como o intestino tem os mesmos neurônios que o cérebro? A explicação é a seguinte: desde a época em que você estava na barriga de sua mãe, esses dois órgãos, cérebro e intestino, já estavam interligados.

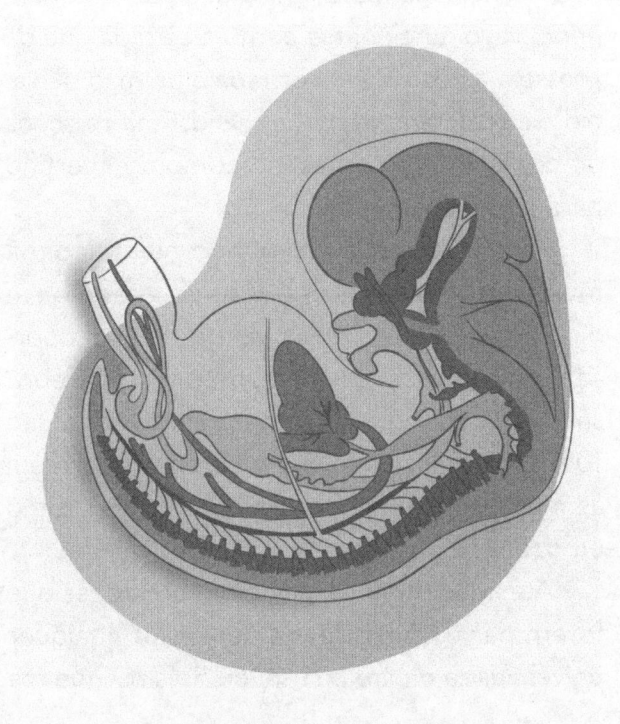

Figura 18 – Desenvolvimento do cérebro e intestino na fase embrionária já ligados pelo futuro nervo vago.

Conforme você foi se desenvolvendo, uma parte tornou-se o sistema nervoso central, e a outra, o sistema nervoso entérico, mas ambas se mantiveram unidas e conectadas através de um nervo chamado "vago". É como se cada sistema nervoso fosse uma cidade distante, e o nervo vago funcionasse como a estrada que dá acesso a ambas. E essa estrada é de mão dupla, bidirecional: tanto se pode mandar informações do cérebro para o intestino como do intestino para o cérebro.

Para a surpresa do mundo científico, há muito mais faixas de circulação do intestino em direção ao cérebro que o contrário. A proporção é gigantesca: do intestino para o cérebro são 90%, e do cérebro para o intestino são 10%. Isso explica por que o cérebro interpreta as mensagens que chegam do intestino como emoções.

Até aqui, dividi com você informações que fazem parte da grade curricular de qualquer universidade da área da saúde hoje. O que me

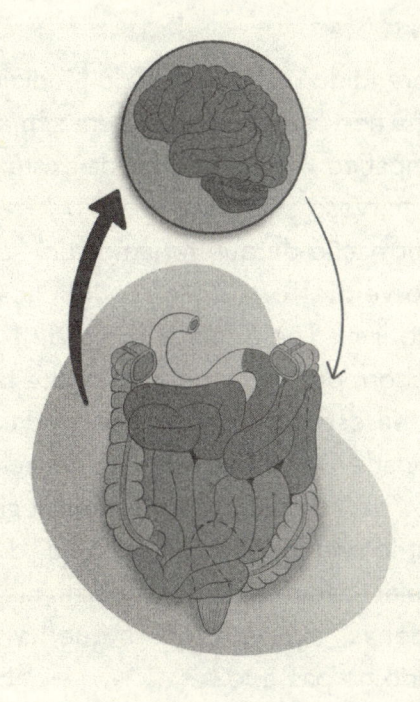

Figura 19 – Eixo intestino-cérebro (maior comunicação do intestino ao cérebro do que o contrário).

deixa perplexa são descobertas extremamente recentes quando falamos em ciência. Meu marido, formado há cerca de quarenta anos, só tinha aprendido na faculdade de Medicina que o sistema nervoso era dividido em simpático e parassimpático. Ninguém sabia da existência do sistema nervoso entérico.

A afirmação de que teríamos um segundo cérebro veio à tona com a publicação, em 1998, do livro *The Second Brain* de Michael D. Gershon, professor de Patologia e Biologia celular na escola e centro de medicina da Universidade Columbia. Gershon foi aclamado como o "pai" da neurogastroenterologia, mas ele mesmo preferiu intitular-se "filho" dos que, antes dele, fizeram essa descoberta. Ele afirma que "apenas" trouxe à tona o que havia sido esquecido no passado.[2]

A neurogastroenterologia teve início no século 19, na Inglaterra, com as pesquisas pioneiras dos fisiologistas Ernest Starling e William Bayliss. Autores de várias descobertas batizadas como "leis", essa dupla foi responsável pela lei do coração, pela lei da circulação e pela lei do intestino, hoje conhecida como reflexo peristáltico.

A descoberta da lei do intestino foi uma das responsáveis pela descoberta do sistema nervoso entérico, que, naquele momento, foi chamado de "mecanismo nervoso local", mostrando que o intestino não precisa de comandos do sistema nervoso central (cérebro e medula espinhal) para continuar funcionando. Mesmo depois de cortarem todos os nervos (desnervarem) de comunicação entre o intestino e o sistema nervoso central, o movimento peristáltico continuava. Esse experimento foi feito com cachorros anestesiados.

Todavia, o sistema nervoso entérico havia sido descoberto na Alemanha, na Guerra da Secessão. Com um microscópio óptico primitivo, o anatomista alemão Leopold Auerbach (1828-97) descobriu que o intestino tinha uma rede complexa de células e fibras nervosas, que ele chamou de "plexos", e que fica entre as duas camadas de músculos que formam o intestino. Essa rede, ou plexo de Auerbach, hoje é conhecida também como "plexo miontérico" (*mio* = músculo, *enter* = intestino).

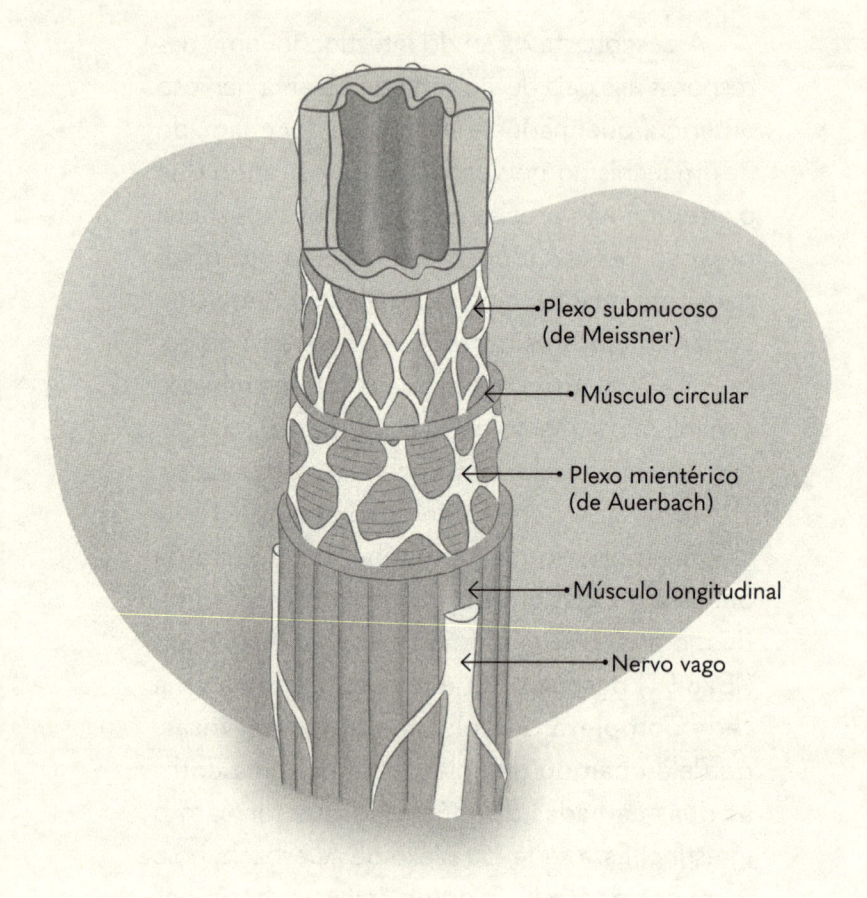

Figura 20 – Anatomia dos plexos da parede do tubo intestinal.

Após a descoberta de Auerbach, foi a vez do anatomista e fisiologista Georg Meissner (1829- -1905), também alemão, descobrir outra rede, mais perto da luz intestinal e, por se situar logo após a mucosa, ficou conhecida como "plexo submucoso".

Depois de um longo silêncio, cientistas de uma nova geração, da qual Gershon faz parte, voltaram à tona com o assunto. Como ele mesmo escreveu, "mostrando verdades como se elas acabassem de ter sido descobertas, quando, na realidade, o que fizeram foi apenas um resgate de informações, colocadas sob a ótica de hoje".[3]

Mas o que nos vem à mente quando lemos isso é a questão: *O que aconteceu para que essas descobertas fossem esquecidas?*

A descoberta dos neurotransmissores! Esses mensageiros químicos passaram a dominar o pensamento científico sobre o sistema nervoso autônomo (ao qual pertence o sistema nervoso entérico).

A comunicação era realizada por substâncias químicas, portanto, era preciso estudar os neurotransmissores para entender essa conversa. Assim começou, em 1958, o que seria uma grande história de amor entre Gershon e a serotonina.

Como ele mesmo afirma, foi amor à primeira vista: durante um curso chamado *A fisiologia do comportamento*, aprendeu que a serotonina era um provável neurotransmissor e que problemas relacionados a ela poderiam estar no cerne da esquizofrenia e de outras doenças mentais.

A serotonina foi primeiro descrita como um neurotransmissor no cérebro. Enquanto trabalhava com Edith Bülbring, porém, Gershon percebeu que 95% da serotonina do corpo se encontra no intestino, não no cérebro. E a serotonina encontrada no cérebro é completamente diferente daquela localizada no intestino.

No cérebro há uma barreira hematoencefálica (BHE) que seleciona, com muito critério, as substâncias que passarão por ela e entrarão nesse nobre órgão. A serotonina produzida no intestino, por exemplo, não consegue atravessá-la. Portanto, toda a serotonina encontrada no cérebro foi sintetizada dentro dele. E toda a serotonina que o intestino distribui ao resto do corpo é produzida por ele.

As contribuições de Gershon para a identificação, localização e caracterização funcional dos receptores entéricos de serotonina têm sido importantes na elaboração de medicamentos para o tratamento de síndrome do intestino irritável, constipação crônica e náusea associada à quimioterapia. Sua descoberta de que o transportador de serotonina (SERT) é expresso no intestino, tanto pelos enterócitos quanto pelos neurônios, abriu caminhos para a pesquisa na fisiopatologia das doenças inflamatórias intestinais.

Gershon identificou papéis na fisiologia gastrointestinal que desempenham subtipos específicos de receptores de serotonina e forneceu evidências de que a serotonina não é apenas um neurotransmissor que inicia reflexos móveis e secretores, mas também age como um hormônio que afeta a reabsorção e a inflamação óssea.

A serotonina da mucosa (produzida pelos enterócitos) desencadeia respostas inflamatórias que se opõem à invasão microbiana, enquanto a serotonina neuronal (fabricada pelos neurônios) protege o SNE dos danos que a inflamação causaria, além de mobilizar células precursoras presentes no intestino adulto para iniciar a gênese de novos neurônios. Por isso, Gershon chamou a serotonina de espada e escudo do intestino por ser, simultaneamente, pró-inflamatória e neuroprotetora.

A publicação de seu livro em 1998 representou um salto quântico no conhecimento médico e já beneficiou vários pacientes que antes seriam classificados como neuróticos ou portadores de problemas psicossomáticos. Ainda hoje, 40% dos pacientes que procuram atendimento o fazem por problemas gastrointestinais, e muitos deles ainda saem dos consultórios médicos ouvindo frases como: "Seu problema é psicossomático ou estresse!".

Nas palavras de Gershon, "muitas vezes o intestino desafia o melhor que a medicina moderna tem para oferecer; quando ela não encontra diagnóstico, torna-se ignorância combinada com falta de compaixão".[4] O ponto culminante de seu trabalho em trinta anos de pesquisa é uma contribuição extraordinária para a compreensão de doenças gastrointestinais, bem como uma visão fascinante de como nosso intestino realmente funciona: células nervosas no intestino que agem como um cérebro, e esse segundo cérebro pode controlar nosso intestino por si só.

Aqui entram os microrganismos que formam nossa microbiota intestinal. Eles nos acompanham há milhares de anos e nos ajudaram a lapidar o ser humano eficiente e extremamente competente que somos hoje.

Saiba que nós e eles (ou melhor: eles e nós) formamos o que é considerado na literatura médica de *superorganismo*.[5] Mas para que essa parceria continue sendo frutífera, precisamos alimentá-los corretamente para que continuem nos fornecendo os frutos de seu metabolismo, tão necessários para uma vida plena e em abundância.

4

MICROBIOTA INTESTINAL: COMO CHEGAMOS ATÉ AQUI

Você com certeza já ouviu falar que contamos com a presença de vários tipos de micróbios no intestino. Esse conjunto é conhecido hoje como "microbiota intestinal", mas, durante muito tempo, foi chamado de "flora intestinal", porque, até o século 19, as bactérias eram consideradas parte do reino das plantas. Apesar de a nomenclatura já ter sido modificada há décadas, muitas pessoas ainda chamam a microbiota intestinal de flora intestinal, pois é como algumas indústrias farmacêuticas continuam se referindo a elas em embalagens e bulas.

Desde longa data, o homem tenta classificar todos os seres vivos do planeta – começou pelos que poderiam ser vistos a olho nu e, mais tarde, com a invenção do microscópio, viu que esse universo era muito maior. Na Antiguidade, por exemplo, o critério para a classificação era o movimento: se locomovia? Era animal. Não se movia? Era planta.[1]

O objetivo de criar um sistema de classificação é simplesmente separar as espécies em grupos diferentes para facilitar os estudos. Conforme as ferramentas para essa tarefa foram desenvolvidas, observou-se que todos os seres vivos estão relacionados entre si e surgiu a necessidade de entender como as espécies evoluíram.

Em que momento da linha do tempo da evolução uma espécie diferenciou-se de outra e cada uma seguiu seu caminho na natureza? A esse estudo é dado o nome de "sistemática filogenética".

Quando encontramos uma palavra complicada, basta procurarmos sua origem e desvendarmos o mistério. A palavra *filogenética* é composta de "filo" e "genética". *Filo* vem do grego e significa "tribo", "raça". *Genética* já é uma palavra mais conhecida atualmente, mas aqui o seu significado tem relação com o nascimento, a origem. Portanto, sistemática filogenética nada mais é que o estudo da história evolutiva dos grupos de seres vivos feito de forma organizada.

Esse estudo procura desvendar eventos históricos que ocorreram num passado distante, e é por isso que a representação dessa reconstrução é feita na forma de uma árvore filogenética. A representação, assim, torna-se de fácil compreensão, uma vez que as pessoas estão bem acostumadas a ver árvores genealógicas familiares.

O conceito é o mesmo, porém com uma diferença em relação ao período que abrange. Enquanto na árvore genealógica apresentamos algumas décadas de uma geração para outra, na árvore filogenética os tempos são muito maiores: milhares, dezenas de milhares e, em alguns casos, milhões de anos.

O mais interessante, entretanto, é que a história da classificação dos seres vivos começou no século 4 a.C. com Aristóteles e até hoje existe uma grande discussão sobre as hipóteses de classificação, procurando entender as relações evolutivas entre os diferentes grupos de seres vivos. Por quê? Você já vai entender.

Acompanhe a seguir a lista de mentes brilhantes (com suas respectivas ferramentas investigativas) que estiveram empenhadas em estabelecer a melhor árvore filogenética da nossa evolução e, como já mencionado, ainda é muito debatida. Ela é separada por fases.

A primeira fase foi a olho nu e começou em 4 a.C., com Aristóteles (384-322 a.C.) e seu discípulo Teofrasto (371-287 a.C.). A segunda fase começou com a invenção do microscópio de luz e seguiu até a evolução das espécies, com Robert Hooke (1635-1703), Antonie van Leeuwenhoek (1632-1723), Carlos Lineu (1707-1778), Charles Darwin (1809-1882), Alfred Russel Wallace (1823--1913) e Ernest Haeckel (1834-1919). A terceira fase, ainda em vigência, começou com a invenção do microscópio eletrônico e o sistema de cinco reinos, com Robert Whittaker (1920-1980), Willi Hennig (1913-1976), Lynn Margulis (1938--2011) e Carl Richard Woese (1928-2012).

Não pretendo me estender muito nesse assunto fascinante, pois tenho muitas outras maravilhas para compartilhar com você, mas acho importante apresentar como chegamos até aqui e o que o futuro nos reserva. A expansão do conhecimento e o advento de novas metodologias relacionadas ao estudo da biologia molecular e da microscopia eletrônica revelaram um imenso universo de seres vivos inimagináveis – e, agora, encaixá-los naquele antigo modelo rígido de padrão de classificação passou a ser cada dia mais difícil, quase impossível.

Isso explica as diferentes propostas feitas na tentativa de classificar todos os seres vivos hoje conhecidos e permitir, inclusive, antecipar como os novos podem ser catalogados.

Saber que tínhamos microrganismos no intestino já era fato conhecido quando Élie Metchnikoff (1845-1916) fez o que chamamos hoje de "estudo observacional". Vivemos numa época em que só a medicina baseada em evidências é valorizada (com o que concordo até certo ponto); mas não podemos deixar de lado o que é observado, pois, como meu marido sempre diz desde que iniciei meus estudos na área da saúde: "A clínica é soberana".

Pesquisando os países onde habitavam os humanos mais longevos, Metchnikoff descobriu que as pessoas que moravam nas áreas rurais da Bulgária tinham uma expectativa de vida excepcionalmente mais alta que a estabelecida em 1900 (que era de cerca de 33,7 anos), chegando em média aos 87 anos – sendo que alguns alcançavam os 100 anos.[2]

Um diferencial desses povos búlgaros era a ingestão diária de grandes quantidades de leite fermentado, em torno de 2 a 3 litros.[3] A fermentação de alimentos lácteos é um dos métodos mais antigos de conservação de alimentos a longo prazo. Os egípcios, por exemplo, já consumiam produtos lácteos fermentados desde 7.000 a.C. A tradição afirma que a longevidade atribuída a Abraham foi graças ao consumo de leite fermentado.[4] Se você procurar na Bíblia, capítulo 25 do Gênesis, versículo 8, encontrará: "Morreu em boa velhice, em idade bem avançada".[5]

Os estudos de Metchnikoff resultaram nos primeiros trabalhos a relacionar o consumo de leite fermentado à promoção de saúde e à longevidade, sugerindo que um tipo selecionado de bactéria presente nele neutralizaria microrganismos responsáveis pela ocorrência de infecções e produção de toxinas no intestino, que, por sua vez, estão relacionados com o envelhecimento e mortalidade.

Essa bactéria em que Metchnikoff baseou sua teoria foi identificada e inicialmente chamada de *"Bulgarican bacilus"*, em seguida *"Lactobacillus bulgaricus"* e hoje a encontramos com o nome de *"Lactobacillus delbruieckii"*, subespécie *Bulgaricus*, quando fazemos prescrições de probióticos. Por sua teoria, Metchnikoff foi laureado com o Prêmio Nobel de Medicina em 1908.[6]

Como a longevidade era uma preocupação dele, suas primeiras pesquisas levavam a crer que no intestino habitavam microrganismos tóxicos que realizavam a putrefação dos alimentos e eram responsáveis pelo encurtamento da vida humana.

De fato, nosso corpo é constantemente envenenado por toxinas produzidas por determinados microrganismos presentes na microbiota intestinal, o que pode prejudicar o intestino, mas também interferir na nutrição, na fisiologia, na eficácia de medicamentos e na resistência a infecções de quem os hospeda.

Para controlar a senescência – que são todas as alterações que ocorrem no organismo humano ao longo da vida e que não são consideradas doenças –, Metchnikoff propôs uma nova disciplina científica: a gerontologia. Surpreendente, não? E mais impressionante ainda é saber que seu primeiro trabalho publicado em 1907 e reeditado em 2004 com o título *The Prolongation of Live: Optimistic Studies* [O prolongamento da vida: estudos otimistas], somado a outro de sua autoria, *The Bacillus of Long Life* [O bacilo da longa vida], pode ser considerado a origem do conceito de "microrganismos probióticos".[7]

No primeiro trabalho ele fala sobre os três principais males que pairam sobre nós: a doença, a velhice e a morte.[8] Além de introduzir o termo gerontologia, de falar do primeiro probiótico de um alimento fermentado tal como conhecemos, Élie Metchnikoff introduziu o termo "disbiose" para caracterizar a presença de microrganismos patogênicos no intestino.[9]

E aqui volto a lembrar as palavras de meu pai: "Pasteur dizia que envelhecimento começa no intestino!". Mas onde entra o famoso microbiologista francês Louis Pasteur nessa história? Em 1888, Metchnikoff aceitou a oferta de Pasteur para se juntar a ele em Paris, inicialmente sem remuneração, e lá liderou e interagiu com um grupo talentoso de microbiologistas.[10] Embora seu interesse em pesquisa fosse outro, abraçou as preocupações de Pasteur e seus colegas, voltando-se para doenças infecciosas experimentais e imunidade – tanto que hoje ele é reconhecido como o pai da imunidade natural.[11]

Apesar dos estudos nesse campo do conhecimento já terem totalizado mais de um século, apenas nos últimos vinte anos ocorreu um aumento expressivo de trabalhos relacionados ao tema.

No capítulo 3, você viu a quantidade de artigos científicos quando fizemos a busca no

PubMed, aquele banco de dados de livre acesso, com a palavra *gut*, que significa "intestino". Ao fazermos a mesma busca com a palavra "microbiota", a surpresa é ainda maior.[12]

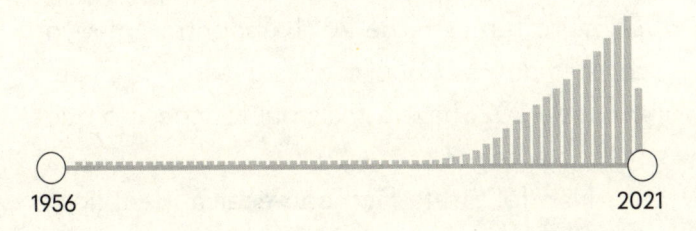

1956 — 2021

Na busca que realizei em julho de 2021, encontrei mais de 80 mil artigos vinculados ao termo, sendo o primeiro de 1956. Dessa data até 1999, foram publicados apenas 578 artigos... E estamos falando de treze anos de ciência. Na década de 2000, foram 2.954 artigos; e, na década de 2010, a produção científica foi a maior de todos os tempos, com um total de 61.548 artigos.

Cada ano superava o anterior, e isso se seguiu até o início da década de 2020, que provavelmente não teve mais publicações pelo fato de a comunidade científica estar focada na pandemia da Covid-19. Mesmo assim, no ano 2020 tivemos mais de 1.500 trabalhos publicados em comparação aos de 2019. Apenas no primeiro semestre de 2021, encontravam-se o registro de 9.547 publicações. Nesse ritmo, até o fim de 2021 haverá mais publicações do que no ano anterior.

Não foi tarefa fácil começar a identificar nossa microbiota intestinal. Inicialmente, as técnicas microbiológicas clássicas utilizadas não atendiam às necessidades dessa investigação, pois logo os cientistas perceberam que 90% dela eram formados por microrganismos anaeróbios que não sobreviviam na presença de oxigênio e, portanto, não cresciam nos cultivos habituais.

O máximo que os pesquisadores conseguiram foi uma coleta de bactérias mortas presentes nas fezes humanas, o que não refletia de fato a composição da microbiota intestinal. Além disso, a quantidade e a variedade eram enormes, superando a capacidade de isolamento e descrição individuais. Foram necessárias novas técnicas envolvendo o sequenciamento genético para começarmos a ver uma luz no fundo do túnel.

O avanço do conhecimento do microbioma intestinal está, portanto, ligado ao desenvolvimento de ferramentas moleculares robustas de avaliação. Enquanto não entramos na técnica de identificação em larga escala, através de métodos genéticos, esse tema não progrediu.

Talvez nesse momento você esteja se perguntando: *Mas não era sobre microbiota intestinal que eu estava lendo?*

Exatamente, mas a partir de agora você vai transitar entre estas duas palavras: microbiota e microbioma intestinais.

A rápida evolução nesse campo de pesquisa veio acompanhada de uma confusão no vocabulário usado para descrever diferentes aspectos das comunidades microbianas e seus respectivos ambientes. O uso indevido de termos como "microbiota" e "microbioma", entre outros, contribuiu para a incompreensão de muitos estudos por parte da comunidade científica e do público em geral.

Em 30 de julho de 2015, porém, um editorial com o título *The Vocabulary of Microbiome Research: A Proposal* [O vocabulário da pesquisa em microbioma: uma proposta] recomendou definições claras para cada um desses termos e suplicou aos especialistas que as adotassem e as aperfeiçoassem.[13]

Em resumo, *microbiota* é uma comunidade de microrganismos presente em um ambiente definido. Há, por exemplo, a microbiota intestinal, a microbiota oral, a microbiota vaginal etc. *Microbioma* refere-se aos microrganismos presentes em um ambiente definido (a microbiota), incluindo todos os seus genomas e o ambiente em que habitam (bioma).

Mas todo o progresso nesse campo de pesquisa só se deu recentemente, pois as ferramentas e os recursos eram ainda muito limitados, até que, em 1977, o microbiologista norte-americano Carl Richard Woese propôs um modelo de classificação baseado em aspectos evolutivos que possibilitou, finalmente, identificar os seres microscópicos que nos habitam.[14] Ele foi em busca de um local na célula que fosse comum a todas as criaturas e que tivesse sido preservado ao longo da evolução; este, nas palavras de Woese, serviria como um "cronômetro molecular universal". E ele encontrou!

Todas as células necessitam de proteína, unidade básica para a sobrevivência de todas as espécies, e o que sintetiza a proteína dentro de uma célula é uma organela chamada de "ribossomo".

Aqui preciso fazer um parêntese para quem, como eu, nunca tinha ouvido falar de mitocôndria enquanto cursava o que hoje é chamado de ensino médio. Naquela época, nas aulas de biologia, aprendíamos que uma célula era formada por três partes: núcleo (onde estava o material genético), citoplasma e membrana. Só!

Membrana

Núcleo

Citoplasma

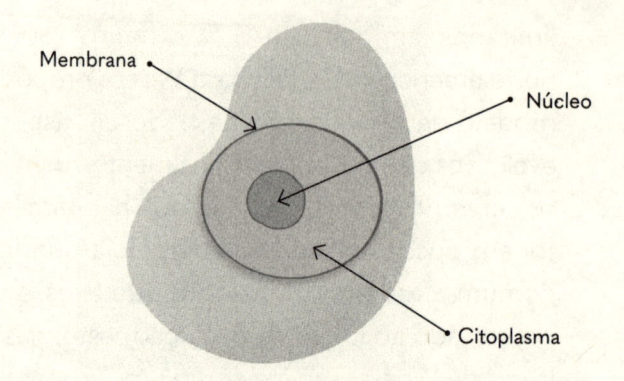

Figura 21 – Representação de uma célula em aula de biologia de 1960.

Imagine a minha surpresa quando iniciei a faculdade de Nutrição e na primeira aula de Biologia me apresentaram a real estrutura de uma célula. Todas as minhas colegas de classe conheciam, é claro, menos eu, que era a mais velha da turma, retornando à faculdade passados 25 anos.

Quando olhei a imagem a seguir pela primeira vez (faço questão de mostrar a você, caso se encontre na mesma situação que eu), descobri que no tal citoplasma existia uma cidade.

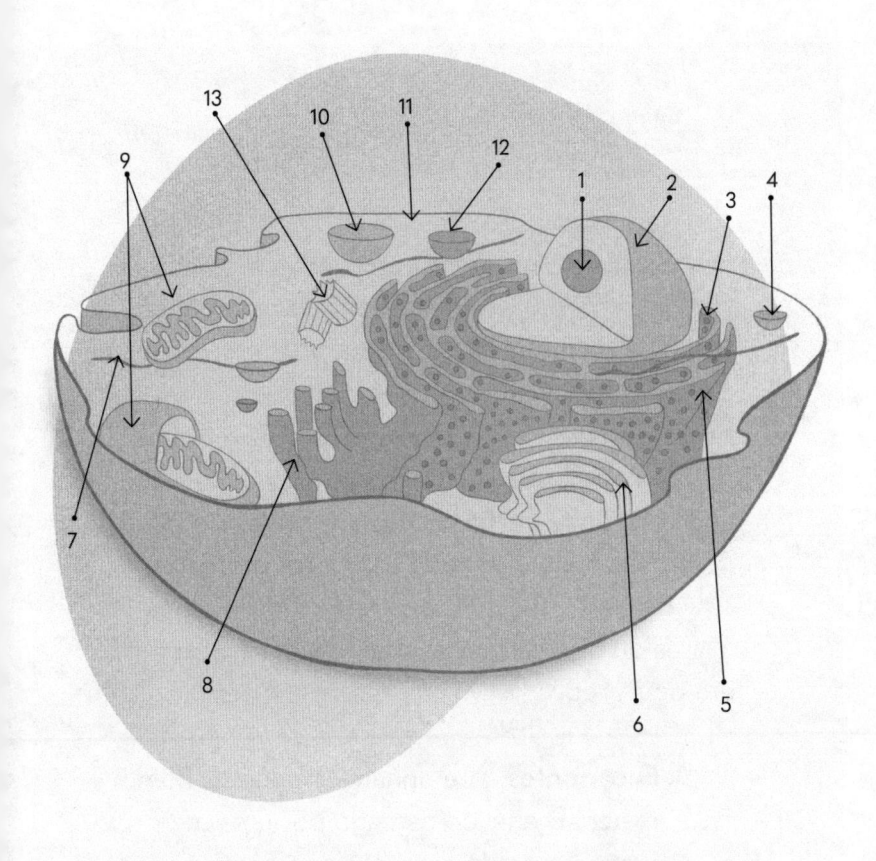

(1) Nucléolo com cromossomos;
(2) núcleo;
(3) ribossomo;
(4) vesícula,
(5) retículo endoplasmático rugoso;
(6) complexo de Golgi;
(7) microtúbulos;
(8) retículo endoplasmático liso;
(9) mitocôndria;
(10) vacúolo;
(11) citoplasma;
(12) lisossomo;
(13) centríolo.

Figura 22 – Representação de uma célula em aula de biologia em 2000.

Nas células, as organelas são como pequenos órgãos que realizam atividades essenciais para sua sobrevivência – e, consequentemente, da nossa também. Fiquei encantada com o que cada uma fazia, e mais ainda ao saber que o risobossomo continha as sequências mais remotas de toda a nossa ancestralidade, ou melhor, da ancestralidade de todos os seres vivos do planeta, pois é ele que codifica nossas proteínas.

Até então, todos os organismos vivos (unicelulares ou pluricelulares) eram divididos apenas em dois grupos:

1. **Eucariontes**, que tinham um núcleo com material genético cercado por uma membrana, separado do citoplasma com aquela quantidade enorme de organelas que você viu no desenho anterior.

2. **Procariontes**, aqueles desprovidos de um núcleo compartimentado e cujo material genético ficava junto com o citoplasma.

A descoberta de Woese em 1977 possibilitou o desenvolvimento da técnica 16S rRNA, que passou a revelar, de forma confiável, a relação entre qualquer forma de vida no planeta, desde os micróbios mais simples até os animais mais complexos, como nós. E é usada até hoje.

A partir de então, uma nova classificação de todos os seres vivos começou a ser feita. Por meio dessa técnica, Woese observou que os eucariontes apresentavam muito mais semelhanças entre si que os procariontes, que ele dividiu em outros dois grupos.

Mas foi somente em 1990, junto com seus colaboradores, que ele propôs oficialmente uma nova árvore filogenética, apresentando o que é conhecido hoje como *sistema dos três domínios*, alterando de forma marcante a visão de vida em nosso planeta.[15]

Atualmente os eucariontes pertencem ao domínio *Eukarya*, e os procariontes foram separados em: domínio *Bacteria* e domínio *Archea*, sendo este último chamado de "terceiro domínio da vida".

Pode-se conferir, a seguir, a árvore filogenética que pode ser encontrada nos livros de Biologia do ensino médio hoje.

Agora que você conheceu como pudemos chegar a esse mundo maravilhoso da nossa microbiota intestinal, que tal se surpreender com ele?

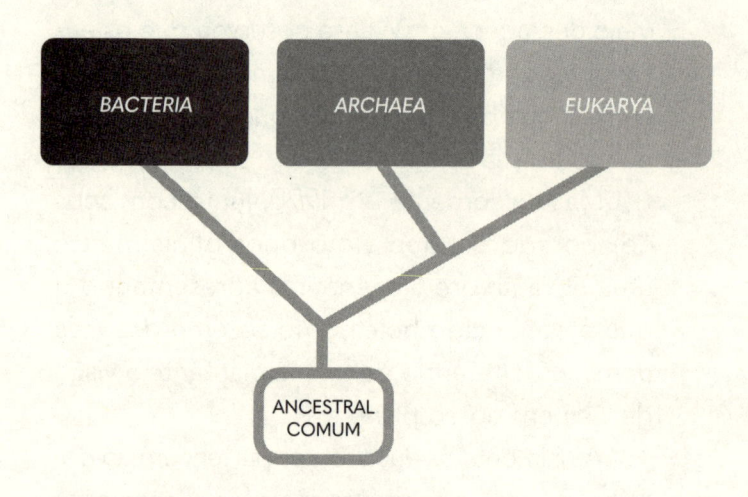

Figura 23 – Árvore filogenética moderna.

5

O UNIVERSO INVISÍVEL QUE NOS HABITA

Temos 1 trilhão dessas minúsculas criaturas que nos acompanham desde o nascimento, ao longo de toda a vida, até a morte – e, após nossa morte, elas continuarão suas atividades.

Da próxima vez que você subir numa balança (em jejum e sem roupa), considere que, do peso indicado, essas criaturas representam 2 quilos (somente as que estão dentro do intestino) e que, se pudéssemos condensá-las em um volume único, elas teriam o tamanho do seu cérebro.[1]

Somos hospedeiros de uma população gigantesca, complexa e dinâmica que exerce uma influência marcante em nossa saúde e na de todo o planeta, pois orquestra funções inimagináveis, afetando inclusive, nossa personalidade.

Aposto que você pensou: *Como assim?!*

Pois é, talvez pareça ficção científica afirmar que várias escolhas que você faz diariamente são por causa da sua microbiota intestinal! No entanto, como o objetivo deste livro é levar você a conhecer o que torna seu organismo saudável e até blindado dos problemas de saúde, saiba que isso passa por esse universo invisível que nos habita. E você precisa conhecê-lo para entender por que é fundamental cuidar bem desses bichinhos que, de amigos, podem se tornar inimigos poderosos num piscar de olhos.

Por incrível que pareça, cuidar bem deles é muito simples: basta alimentá-los da forma correta. Só que isso passa, antes, pelas escolhas que você faz e aquilo que você decide colocar no prato. Está em nossas mãos o que desejamos que o destino nos reserve. Somos credores ou devedores de nós mesmos no futuro.

Já percebeu que, enquanto todos a sua volta reclamam a cada dia de algo que vai mal, você desconhece o que é uma simples dor de cabeça, refluxo, gripe, prisão de ventre ou diarreia e até depressão? Já se perguntou por que aquele pingo de água que transborda o copo de algumas pessoas, tornando-se uma tempestade, é, para você, uma tremenda oportunidade de sucesso? Isso é a famosa *resiliência*. E a resposta para essas questões tem a ver com a sua microbiota intestinal.

Não é de hoje que a literatura científica mostra uma associação observada entre saúde intestinal e saúde mental. Mas foi apenas recentemente que os pesquisadores descobriram que algumas dessas bactérias podem de fato comandar sua mente, controlar seus gostos e alterar seu humor.

Até 2016, acreditava-se que tínhamos, no intestino, dez bactérias para cada célula humana. Com os novos instrumentos tecnológicos, chegou-se a um número mais preciso: 1,3 bactéria para cada célula humana. Somos mais bactérias que humanos![2]

O grande microbiologista francês Louis Pasteur disse uma vez: "O papel do infinitamente pequeno na natureza é infinitamente grande".[3]

Como criaturas tão primitivas poderiam tomar as rédeas de nossa mente humana tão evoluída? Em primeiro lugar, não as subestime, pois tamanho não é documento; além disso, elas estão neste planeta, como já foi dito, há muito mais tempo que nós.

Há cerca de quatro bilhões de anos surgiam os primeiros micróbios na Terra – antes do aparecimento de qualquer outro tipo de vida animal ou vegetal.[4] E, apesar de serem as menores formas de vida, coletivamente formam a maior parte da biomassa terrestre e executam muitas das reações químicas essenciais para que nós, "organismos superiores", possamos sobreviver.[5] É seguro dizer que nenhuma outra forma de vida é tão importante para o suporte e a manutenção da vida na Terra quanto os microrganismos.

Até que o *Homo sapiens* se estabelecesse no planeta, uma longa parceria desenvolveu-se principalmente na forma de comensalismo: nós fornecíamos casa e comida em troca de inúmeras substâncias que eles produzem a partir da matéria-prima que fornecemos, isto é, daquilo que comemos.

Essa ligação mutualista ocorreu entre bactérias, arqueias, vírus, protozoários e fungos que formam nossa microbiota intestinal, cuja alta diversidade está associada à saúde enquanto o oposto à doença.[6] Esses microrganismos são geralmente membros residentes desse ecossistema, e alguns podem estar em trânsito por terem sido adquiridos via alimentação ou descartados pelo uso de antibióticos.

Nossa microbiota é composta 90% por bactérias e os outros 10% por vírus, fungos, protozoários e archeas, que você já conhece. Sim, temos vírus no intestino! Mas não se assuste...[7] As bactérias que compõem esses 90% da nossa microbiota intestinal são formadas principalmente por dois filos: os Firmicutes e os Bacteriodetes. Lembra de quando desvendamos o mistério da palavra "filogenética"? Para refrescar a memória, considere que o prefixo *filo-* significa tribo. Portanto, os Firmicutes e os Bacteriodetes são as duas principais tribos da microbiota intestinal.

Nos últimos tempos, a ciência tem feito uma associação entre o desequilíbrio na microbiota intestinal (a partir de agora chamaremos este estado de disbiose) e o desenvolvimento das chamadas doenças crônicas não transmissíveis (DCNT), um dos principais temas deste livro, já que meu objetivo principal é ajudar você a preveni-las ou combatê-las.

Eu sou o tipo de profissional da saúde que precisa entender os mecanismos, ou melhor, os caminhos que levam a uma determinada situação (a disbiose) ou um desfecho negativo (doenças). Somente assim vejo como posso ajudar meu paciente, já que a nutrição tem como objetivo trabalhar a prevenção.

A mudança do padrão alimentar das últimas décadas, em que passamos a consumir mais produtos industrializados, ricos em açúcar, sódio, gordura saturada, aditivos alimentares e pobres em fibras, promoveu um ganho de peso na população e, consequentemente, um aumento no risco do desenvolvimento de doenças crônicas não transmissíveis (DCNT).

A gênese dos problemas de saúde que nos atingem está no início de um quadro inflamatório de baixo grau, subclínica, porém crônica, que se estabelece e se mantém através da ativação de substâncias pró-inflamatórias que geram resistência à insulina.

Costumo dar como exemplo a meus pacientes que essa inflamação é como uma fogueira que deveria se extinguir depois de um tempo (lembre-se que inflamar é bom), mas como isso vai acontecer com você jogando um pouco de gasolina nela com seus hábitos e seu estilo de vida inadequados?

Você deve estar pensando: *Qual a participação da microbiota intestinal nisso tudo?*

Bem, antes de qualquer coisa, precisamos entender como descobriram que uma bactéria é do bem ou do mal.

Uma das primeiras classificações das bactérias foi através da técnica de Gram, mundialmente conhecida e ainda hoje utilizada; a coloração de Gram foi um método de coloração de bactérias desenvolvido em 1884, pelo médico dinamarquês Hans Christian Joachim Gram (1853-1938) e que permitia diferenciá-las através da cor que adquiriam quando em contato com agentes químicos específicos. As bactérias que ficaram na cor azul-violeta foram chamadas de "gram-positivas"; as que ficaram vermelhas, de "gram-negativas". Dá para ver quais são as boas e quais são as ruins nessa história.

O que diferencia uma bactéria da outra é a presença, na parede celular das gram-negativas, da endotoxina denominada lipopolissacarídeos (LPS), causadora de várias doenças pelo seu alto grau de patogenicidade (conforme expliquei no capítulo 1); e o local que confere essa reação corresponde à parte lipídica dessa molécula, chamada de lipídio A, que é uma gordura saturada. Portanto, na microbiota intestinal, entre diversos microrganismos que a compõem, há bactérias que podem ser gram-positivas ou gram-negativas.

Esclarecido esse ponto você vai entender o motivo pelo qual o consumo de alimentos contendo grandes quantidades de gordura saturada são tão prejudiciais à saúde. Esse tipo de gordura também promove um aumento das bactérias gram-negativas. E, como se isso não bastasse, essa gordura saturada ainda aumenta a permeabilidade intestinal por diminuir a espessura da camada de muco do intestino e enfraquecer as proteínas de adesão que fixam as células umas às outras, que abordamos no capítulo 2.

Volte à página 66 e reveja o desenho. Ele representa justamente a estrutura da parede intestinal. As proteínas de adesão são as que ligam fortemente um colonócito ao outro, impedindo que elementos do intestino passem para a corrente sanguínea.

Com o enfraquecimento dessas proteínas de adesão, as bactérias gram-negativas, que, ainda por cima, estão em maior número graças à gordura saturada, que todos acabamos comendo diariamente, alcançam a circulação e provocam uma endotoxemia metabólica, que é uma inflamação subclínica promovida por aqueles LPS circulantes.[8]

Essa condição é conhecida como *leak gut* (ao pé da letra, seria um intestino com vazamento) e permite a perpetuação da inflamação subclínica, uma vez que, junto com LPS, entram substâncias nocivas e toxinas que deveriam ser eliminadas pelas fezes, além de partículas de alimentos não digeridas que podem servir de gatilho para doenças autoimunes e alergias alimentares.

O aumento de LPS na corrente sanguínea também faz aumentar a produção de mediadores pró-inflamatórios, pois a gordura saturada neles presente é reconhecida em diversas células do organismo, através de um receptor de membrana chamado "Toll-like 4". Esse receptor de membrana faz parte de uma classe de proteínas que desempenham um papel fundamental no sistema imunológico inato, aquele que já está pronto para nos defender.

O excesso desses mediadores pró-inflamatórios e radicais livres tem sido associado a várias desordens em vias metabólicas no pâncreas, nos rins, no tecido adiposo, no músculo esquelético, no fígado e nos vasos sanguíneos, favorecendo o desenvolvimento de várias doenças metabólicas e cardiorrenais.

Esse foi o mecanismo brilhante que desenvolvemos ao longo da evolução e que nos permitiu estar aqui hoje.

Somente sobreviveram os que inflamavam bem e resistiam. Só que hoje esse mecanismo de defesa está nos matando, todos os dias, por ficarmos jogando gasolina nessa fogueira. Um pouquinho, diariamente. Entendeu por que o título desse livro é *Intestino: onde tudo começa e não onde tudo termina*?

Mas a vida não é feita somente de notícias ruins. Temos como mudar esse panorama através do consumo de mais fibras que, ingeridas de forma constante, isto é, em todas as refeições, serão fermentadas pela microbiota intestinal (do bem), que nos devolve uma preciosidade conhecida como "ácidos graxos de cadeia curta" (AGCC).

Como já mencionei antes, nunca concordei com o ditado de que *somos o que comemos*, e meu argumento para isso é que *somos aquilo que conseguimos absorver* – aliás, você viu no começo do livro que isso não é tão simples como se imagina. Hoje meu discurso mudou: *somos aquilo que damos para nossa microbiota intestinal se nutrir e, assim, ela nos devolve saúde ou não.*

Desses ácidos graxos de cadeia curta, os mais estudados são butirato, acetato, proprionato e lactato. Quando você souber o que eles fazem, entenderá o quão importante são! Aquele sobre o qual há mais estudos e cuja ação na saúde humana conhecemos em mais detalhes é o butirato.

Por ser produzido dentro do intestino, é o principal substrato energético (alimento) utilizado pelos colonócitos. Cerca de 70% a 90% do butirato produzido servem para as células da parede do cólon. Além de alimento, ao entrar no colonócito, o butirato manda um comando ao núcleo dessa célula para que aumente a expressão de genes que codificam as proteínas de adesão que prendem uma célula à outra, fortalecendo ainda mais essa barreira física. Portanto, para termos uma parede intestinal robusta, precisamos comer fibras.[9]

O interesse inicial sobre o efeito dos AGCC no processo inflamatório surgiu do fato de que a ingestão de fibras reduzia a incidência de doenças inflamatórias no trato gastrointestinal.[10] Diversas evidências sugerem, por exemplo, que a microbiota intestinal está envolvida no desenvolvimento da obesidade e comorbidades associadas, já que uma disbiose pode diminuir a produção de butirato, envolvido na resolução de processos inflamatórios.

Foi relatado que a composição da microbiota intestinal difere em indivíduos obesos e magros, sugerindo que a disbiose da microbiota intestinal pode contribuir para mudanças no peso corporal. Além disso, produtos do metabolismo da microbiota intestinal são capazes de afetar o metabolismo do hospedeiro ao regular o apetite e a quebra de gordura.[11]

Falando em sistema imunológico, a microbiota intestinal tem o papel fundamental de impedir a colonização de bactérias patogênicas, inibindo seu crescimento, consumido os nutrientes disponíveis e/ou produzindo bacteriocinas, que são substâncias de natureza proteica, com atividade antimicrobiana. Com crescente número de infecções causadas por bactérias resistentes aos antibióticos, as bacteriocinas vêm sendo estudadas como uma alternativa viável aos antibióticos tradicionais.[12]

Nossa microbiota intestinal influencia positivamente as respostas imunes a patógenos em órgãos extraintestinais, como pulmão e trato urinário. Por isso vários artigos associam a melhora da asma quando ocorre um aumento de fibras dietéticas pelo hospedeiro.[13]

Esses achados, por sua vez, tornam-se informação e ferramenta extremamente relevantes em momentos delicados, como ocorreu no tratamento de Covid-19.

Relembrando: os já comentados ácidos graxos de cadeia curta, em especial o butirato, apresentam efeito imunomodulador, através da redução da expressão de moléculas inflamatórias.[14] E a microbiota intestinal também previne a invasão de bactérias, mantendo a integridade do epitélio intestinal.[15]

6

DESENVOLVIMENTO DA SUA MICROBIOTA AO LONGO DA VIDA

Seu contato com esses microrganismos começa cedo e muda completamente à medida que você cresce. Este capítulo segue esse processo ao longo da vida.

Figura 24 – Transmissão materna de sua microbiota para os filhos.

É um relacionamento surpreendente e que fica melhor com o tempo, desde que saibamos como cultivá-lo, já que começou há milhões de anos e, como deve ter percebido, a maneira como ele continua depende também de você. Mas não se sinta mal por nunca ter cuidado da sua microbiota intestinal, pois não conseguimos melhorar aquilo que não conhecemos e não dominamos – foi por isso, inclusive, que escrevi este livro, para você entender o universo invisível que nos habita e passar a cuidar melhor do seu. Como diz o ditado: "Enquanto não sabemos, Deus perdoa". Portanto, a partir de agora, sua saúde e sua longevidade estão em suas próprias mãos.

Não quero ser repetitiva, mas precisamos aprender e fazer a lição de casa e tomar as rédeas da nossa saúde de modo preventivo e parar de culpar os órgãos públicos pela falta de hospitais e médicos – estes não seriam tão necessários se nos tornássemos responsáveis por expressar todo nosso potencial genético.

E como fazemos isso? Com informação! Somente ela nos liberta das amarras de uma indústria alimentícia cujo objetivo é gerar cada vez mais lucro para dirigentes e acionistas, salvo raras exceções.

Lembre que seu código genético é como um livro de receitas maravilhoso. Mas, se você decidir usar qualquer ingrediente inadequado ou de baixa qualidade que aparece pela frente (é assim que você cozinha?), o produto final, a receita, ficará comprometido na mesma proporção daquilo que você oferece. Se você não está gostando do que estou dizendo, pense que essas palavras só apontam que sua saúde é um espelho do que você come. Lembre-se de que genética não é destino.

Como comentei no capítulo 1, tenho lido em vários artigos científicos expressões e frases como "mortalidade prematura" ou "anos de vida útil que foram encurtados", seguidas de números inaceitáveis, mostrando quantas vidas foram ceifadas por erros que poderiam ser evitados ou corrigidos por um estilo de vida saudável.

Esse simples fato responde hoje por cerca de 80% da mortalidade prematura no mundo. Ao mesmo tempo, a medicina continua relutante em abraçar intervenções no estilo de vida como prática médica. Mas nós, nutricionistas, já fazemos isso há muito tempo. Estamos sempre de olho na prevenção.

Agora vamos entender (e nos maravilhar) como o corpo da mulher se prepara para a concepção. Que diversos problemas de saúde decorrem do meio ambiente, disso muitas pessoas já sabem. E quem constitui o ambiente dessa criança a ser gerada? Isso mesmo: a mulher!

Caso você seja uma delas e planeje ter filhos, saiba que a conta sempre pesa para nosso lado. É muita responsabilidade, eu sei, mas pense que bacana ter em nossas mãos o destino de uma nova geração e saber que você pode contribuir para um mundo melhor ao gerar filhos mais saudáveis e com inteligência emocional. Por isso, adoro quando os casais me procuram para fazer o que chamamos hoje de "programação metabólica" ao se preparar para ter um filho. Também conhecido como "programação fetal", esse é um tema inovador, muito estudado e discutido para que se possam criar estratégias de prevenção às chamadas doenças crônicas não transmissíveis (DCNT), que vêm aumentando de forma alarmante em todo o mundo.

Desde os primeiros trabalhos do epidemiologista David Barker (1938-2013),[1] que mostrou a associação com baixo peso ao nascer e probabilidade do desenvolvimento de DCV na vida adulta, sabemos que tudo o que acontece durante o período da vida intrauterina até o fim da lactação, de bom ou de ruim, terá repercussões na vida adulta.[2]

Numa publicação pioneira da revista *The Lancet* em 2008,[3] identificou-se o período após a concepção até os 2 anos de idade, ou seja, os primeiros mil dias da vida do bebê (270 dias de gestação, mais 365 dias do primeiro ano e 356 dias do segundo ano de vida), como a principal janela de oportunidades para uma infância saudável, com influências que se estenderão por décadas. É nessa fase que o cérebro começa a se desenvolver e que as bases para a saúde são construídas. É o período em que o organismo está mais sensível às influências do ambiente com suas células em plena evolução. O corpo tem maior plasticidade, o que significa que está mais adaptado a seguir o caminho que lhe é oferecido. Daí a importância de algumas atitudes e intervenções que, mesmo pequenas, são de extrema importância. Você sabia que o cérebro de uma criança cresce 1 grama por dia?[4]

A citada janela dos primeiros mil dias de vida tem sido adotada por agências e organizações não governamentais internacionais[5] como referência por pesquisadores da área da saúde[6] e citada em artigos científicos.[7] As primeiras pesquisas para verificar a extensão dos hábitos inadequados maternos em suas proles foram realizadas em laboratório com animais, e uma das grandes surpresas foi o fato de que uma nova programação podia ser transmitida às futuras gerações. A essa descoberta deu-se o nome de "epigenética".

Diferentemente da herança genética – aquelas informações que recebemos em cada célula 50% do pai e 50% da mãe no momento da concepção –, as mudanças epigenéticas podem ser reversíveis, desde que haja mudança no estilo de vida. A partir do momento em que você passa a ter conhecimento de um fato, também passa a ter em mãos o poder de decisão e escolha. É o livre-arbítrio com que Deus nos dignificou.

Precisamos entender que o corpo é nosso bem mais precioso, nosso maior patrimônio, e hoje a ciência nos mostra como podemos melhorar nossa saúde através de melhores escolhas em relação ao nosso estilo de vida. A mensagem que quero deixar neste livro é: está em nossas mãos não apenas a expressão máxima da saúde para nós, mas também e, principalmente, para nossos descendentes. Se quisermos um mundo melhor para todos, devemos pensar sobre como lidamos com aquilo que colocamos no nosso prato, pois isso interfere na nossa saúde, na saúde de nossos filhos e na saúde do planeta.

Digo isso, pois, até que a ciência chegue a uma conclusão afirmativa em relação a uma possível existência de uma microbiota placentária, nós nascemos estéreis, livres de bactérias, iniciando essa contaminação positiva ou negativa, dependendo do tipo de parto que nos trouxer ao mundo.

Mas a construção na nossa microbiota começa muito antes do nosso nascimento; o estado nutricional e imunológico de nossa mãe já determina nosso futuro. Antes de o bebê ser concebido, diversos eventos ocorreram no universo feminino, inclusive o amadurecimento de alguns óvulos, dos quais um foi destinado a ser você caso a fecundação fosse bem-sucedida. A partir do momento em que eles começam a disputar uma posição, começam a secretar estrogênio, preparando o útero para quando o espermatozoide encontrar seu objetivo.

Nos últimos quatro milhões de anos,[8] estabeleceu-se uma parceria frutuosa entre o corpo da mulher e certas bactérias intestinais que descobriram uma maneira de reciclar estrogênio, desde que a microbiota intestinal esteja saudável. Dando sequência a essa sinfonia para a sua concepção, existe a produção de outros hormônios que começam a afetar a microbiota da vagina, que passa a priorizar as espécies de *Lactobacillus*; além disso, o pH começa a diminuir, tornando-se ácido, à medida que essas bactérias produzem ácido lático. Esse é um dos primeiros estágios de preparação da microbiota vaginal materna para a transmissão de suas bactérias à criança. Isso, claro, no caso de um parto normal.

Em meio a tudo isso, se tudo correr bem, aparece a única contribuição do pai até então: a chegada dos espermatozoides, que não vêm sozinhos. Eles chegam acompanhados de um cortejo de bactérias no fluido seminal, e este se torna um meio de cultura ideal, pois tem pH bastante neutro e está cheio de carboidratos que as bactérias adoram.[9]

Aqui também temos uma questão inconclusiva sobre o quanto essas bactérias contribuem para sua futura microbiota como um todo. Há evidências de que uma conexão entre a microbiota seminal e a microbiota vaginal de um casal sexualmente ativo pode ser a única maneira pela qual um pai transmite sua microbiota para seus filhos.

Aqui vale a pena um comentário para casais que aparentemente não têm nenhum problema diagnosticado e não conseguem ter filhos: incompatibilidade microbiana.

Como já vimos, os estudos são feitos na maioria das vezes em laboratório com animais, mas Diana Dodd, em 1989, usou moscas das frutas como objetos de pesquisa.

Seu estudo foi com *Drosophila pseudoobscura*, ou mosca-das-frutas, amplamente utilizada em estudos genéticos. É uma queridinha dos pesquisadores. Ela separou as moscas em dois grupos. Um foi criado em maltose, e o outro, em amido.

Quando os dois grupos já estavam no momento adequado para reprodução, todas foram colocadas num mesmo espaço, e as moscas de maltose preferiram acasalar-se com outras moscas de maltose, e as moscas de amido também escolheram outras moscas de amido.[10]

Figura 25 – Estudo provocou atração entre os machos e as fêmeas.

Na sequência, como um estudo sempre inspira outro, Eugene Rosenberg e seus colegas quiseram verificar se essa preferência sexual seria em consequência da microbiota intestinal de cada grupo. E como fizeram isso? Simplesmente dando antibióticos para destruir a microbiota intestinal de todas elas. Resultado? As preferências sexuais desapareceram, mostrando que a composição da microbiota intestinal pode, sim, afetar a escolha de acasalamento.[11]

Figura 26 – Estudo provocou afastamento e desinteresse entre os machos e as fêmeas.

Se isso também ocorre conosco é uma incógnita (ainda), mas lembremos que os estudos começam *in vitro* e em laboratório antes de serem comprovados em nós, humanos.

Após sua concepção, inicia-se um longo caminho até o útero materno, onde o ovo será implantado durante o processo de nidação; o útero, então, será o ninho onde o feto vai se desenvolver, a começar pela placenta. Como já mencionei, ainda não está bem estabelecido se na placenta ocorre a formação de uma microbiota (o que, se ocorrer, seguramente será chamada de microbiota placentária), mas, quando se encontraram bactérias no líquido amniótico, cordão umbilical e mecônio do recém-nascido, essa proposta começou a ser circulada. Muitos cientistas, porém, suspeitam que as bactérias sejam apenas patogênicas.[12]

Uma grande surpresa é constatar a possibilidade de essa leve carga bacteriana ter se originado da boca de sua mãe, que pode conter bactérias patogênicas na sua microbiota oral. O modo como essas bactérias nocivas viajam para a placenta é um mistério, embora os pesquisadores especulem que elas vêm do sangue materno. Toda vez que alguém escova os dentes – especialmente se as gengivas estão sangrando –, uma pequena dose desses micróbios vaza para a corrente sanguínea. E por isso toda mulher que esteja pensando em engravidar deve cuidar bem da saúde bucal, principalmente das gengivas, indo periodicamente ao dentista.

O ramo da odontologia que cuida disso é o periodontista, que se dedica ao estudo, à prevenção e ao tratamento dos problemas que afetam os tecidos periodontais – aqueles que sustentam (gengiva) e fixam os dentes (cemento, ligamentos e osso).

Como a colonização da placenta pode ocorrer precocemente, é importante verificar se existe gengivite ou doença periodontal antes do início da gravidez. Curiosamente, a conexão boca-útero pode ocorrer nos dois sentidos, e a gravidez pode induzir mudanças na microbiota oral da mãe.

Esse tema é abordado no livro *Heal Your Oral Microbiome* [Cure o seu microbioma oral], no qual Cass Nelson-Dooley conta o caso de Gracie, uma mulher que se consultou com a dentista para uma limpeza de rotina. A profissional que cuida dela há anos observou que suas gengivas estavam bem diferentes e perguntou se ela estava menstruada, pois mudanças hormonais poderiam causar essas mudanças. Como a paciente disse que não e que nem estaria prestes a menstruar, a dentista disse: "Pelo aspecto da gengiva, parece que você pode estar grávida!". E ela estava.[13] À medida que a gravidez avança, as populações de bactérias da microbiota oral aumentam, e sua composição muda.[14]

Chegou o momento de nascer; se tiver a sorte de ser um parto normal, o recém-nascido receberá uma dose saudável da microbiota vaginal materna enquanto passa pelo canal de parto, e seu corpo formará uma memória desse primeiro contato bacteriano que muitas vezes vai durar o resto da vida. Conforme a gestação avança, a mãe desenvolve uma microbiota vaginal específica, na qual certas espécies de *Lactobacillus* se tornam dominantes.

"*Mas eu nasci de cesariana, doutora, e agora?*" Não se preocupe. Nem tudo está perdido, desde que haja amamentação, pois novas pesquisas mostram que, por volta da sexta semana depois do nascimento, a microbiota intestinal de crianças amamentadas com leite materno se normalizou, mesmo que elas tenham nascido por cesariana.[15]

Eu sempre oriento minhas pacientes que desejam ter um parto normal que, caso ocorra uma intercorrência e seja necessário realizar uma cesariana, solicitem ao médico que coloque uma gaze enrolada como se fosse um tampão na vagina durante o procedimento e depois passe esse tecido por todo corpo e rosto do bebê. Alguns profissionais estranham e até acham uma bobagem, mas converso tanto com elas sobre a importância do parto natural e da amamentação que, quando fazem essa solicitação, nenhum médico nega.

Há muito nos consolamos com o fato de que o leite materno é puro e antisséptico, mas agora sabemos que é um bálsamo microbiano – cheio de bactérias – para o vulnerável intestino do bebê. O leite materno contém açúcares que o bebê não consegue digerir, o que parece um desperdício de energia materna; no entanto, esses açúcares não são para o bebê. Eles são prebióticos projetados para alimentar as bactérias que os acompanham no leite materno. E as bactérias, em troca, produzem alimentos para o bebê na forma de ácidos graxos, como o butirato. Isso torna o leite materno uma bebida prebiótica e probiótica. Esses prebióticos alimentam tanto a microbiota intestinal inicial quanto reduzem a liberação do hormônio do estresse, o cortisol, mantendo o bebê calmo e feliz.

As crianças amamentadas tendem a ter uma microbiota intestinal superior desde o início da vida. A fórmula pode ser uma salvação, mas a maioria delas não contém probióticos nem os fatores imunológicos da mãe.

Um dia os pesquisadores podem até criar uma mistura de probióticos que vai melhorar a microbiota intestinal do bebê, mas não vai replicar facilmente os níveis variáveis de prebióticos e probióticos que o leite materno passa ao bebê tampouco os fatores imunológicos da mãe.

O primeiro leite, produzido logo após o parto, se chama "colostro" e contém centenas de espécies de bactérias. Também está cheio de glóbulos brancos maternos e anticorpos que ajudam a estabelecer o sistema imunológico básico de um recém-nascido – uma espécie de transplante de sistema imunológico, projetado para fornecer proteção instantânea ao corpo ainda indefeso. O leite tem um poder imunológico surpreendente.

Antecipando o nascimento, o revestimento intestinal da mãe passou por uma mudança a fim de permitir que certas células imunológicas itinerantes, as células dendríticas, coletassem a melhor amostra da sua população intestinal. Essas células agarram os micróbios e os transportam através dos vasos linfáticos por todo o intestino. Esse é um segundo sistema circulatório do corpo; ele limpa os tecidos de substâncias indesejáveis. A linfa, então, carrega as células dendríticas para as glândulas mamárias.

A carga útil dessas células imunológicas chega ao leite materno. Leite é alimento, mas também uma maneira eficiente de plantar e fertilizar o jardim microbiano do intestino do bebê.

Com o tempo, os componentes imunológicos do leite mudam, refletindo o crescimento do próprio sistema imunológico. Após a primeira semana de amamentação, o número de glóbulos brancos cai drasticamente quando o bebê e a mãe estão saudáveis. Em alguns casos, a mãe pode pegar uma infecção, como mastite, que é transmitida ao bebê. Quando isso acontece, o sistema imune materno adiciona um grande número de glóbulos brancos ao leite, levando-os para que o bebê possa combater a infecção.

Muitos outros ataques microbianos estão reservados. Um bebê está sujeito a milhares de beijos e abraços, cada um deixando um resíduo bacteriano que se junta à agitada comunidade de sua microbiota intestinal.

Com o tempo, o bebê desenvolve as bactérias que vão acompanhá-lo pelo resto da vida. E vai comer sujeira. Vai ser lambido por gato. Vai lamber o gato. O bebê progride nos principais eventos da vida, como amamentação, desmame e introdução de alimentos sólidos.

As bactérias intestinais até parecem antecipar a mudança para alimentos sólidos, aumentando as populações de bactérias que gostam de carboidratos. Se isso parece muito complicado, é porque é absolutamente vital para a saúde. Sem uma microbiota intestinal bem equilibrada, sua vida será prejudicada. Conforme a pessoa envelhece, seu timo encolhe e ela pode achar mais difícil lutar contra os patógenos. Isso pode causar inflamação crônica e depressão.

De alguma forma, o sistema imunológico de uma criança em crescimento deve aprender a dar uma passagem para um monte de micróbios recém-adquiridos. Parece que o sistema imunológico, nos primeiros anos de vida, faz isso baixando a guarda.

Após cerca de seis meses de amamentação, as bactérias no leite da mãe começam a mudar. Em vez de bactérias especialistas em digerir açúcares do leite, a nova microbiota do leite começa a se parecer muito com as bactérias orais maternas. Essa transformação ajuda a preparar a criança para alimentos sólidos, uma vez que muito do trabalho de digestão começa na boca.

No momento em que está desmamando, o sistema imunológico da criança já aprendeu muito e deveria estar em paz com sua microbiota intestinal em desenvolvimento. Um sistema imunológico bem treinado leva a uma saúde mental positiva; um sistema imunológico mal treinado pode causar inflamação crônica, depressão ou ansiedade.

O meio ambiente, repleto de micróbios, tem muito mais a ensinar. Muitas dessas lições são transmitidas pela família. Envolvida calorosamente em muco, a microbiota de seus irmãos está pronta a qualquer momento para educá-lo. Um espirro, uma cutucada no olho, um dedo molhado na orelha; esses são apenas alguns dos métodos pelos quais você herda bactérias de seu clã. Os primogênitos perdem muitas dessas unções microbianas para os caçulas, pois não têm o luxo de uma microbiota intestinal testada, em geral transmitida via catarro de irmão, para ensinar seu sistema imunológico ingênuo. Essa falta de educação os leva a reagir exageradamente quando expostos a novos micróbios.

Na infância, seu intestino, sua microbiota intestinal e seu sistema imunológico praticamente amadureceram aos 2 anos de idade, por isso os mil dias de que falamos são tão importantes.

Nesse momento, a maior ameaça são os antibióticos de amplo espectro, que podem dizimar suas bactérias intestinais, eliminando legiões inteiras de bactérias benéficas que talvez não sejam recuperadas. Essas bactérias estão envolvidas na programação adequada e no desenvolvimento do cérebro; portanto, a perda delas no início da vida pode ter consequências drásticas. Ao mesmo tempo, os antibióticos podem salvar a vida de uma criança – ou seja, tudo precisa ser considerado por uma perspectiva correta.

Embora a estrutura básica da microbiota intestinal seja definida até os 2 anos de idade, ela ainda está numa situação dinâmica. Conforme a criança cresce, há mudanças e um afastamento geral das bifidobactérias que ainda estarão presentes, mas em número menor com o passar dos anos.

Com a chegada da adolescência também se introduzem na rotina os alimentos *junk food*. Poucos adolescentes pensam nisso, mas a microbiota intestinal desempenha um papel surpreendentemente importante nessa etapa da vida. Desde o nascimento até a primeira infância, as bases das estruturas cerebrais são estabelecidas. Os anos de adolescência geram transformações contínuas à medida que os hormônios começam a mudar, e muitas das sementes para a depressão e ansiedade futuras são plantadas.

De particular importância para o humor durante essa fase da vida são as drogas, a comida e o estresse. As drogas afetam diretamente o humor, e algumas delas – em especial o álcool – são conhecidas por prejudicarem as células cerebrais. As dietas de adolescentes, geralmente nada saudáveis, levam a uma série de problemas intestinais. E o estresse afeta igualmente o cérebro do adolescente e a microbiota intestinal.

Enquanto isso, o longo projeto de mielinização do cérebro continua, espalhando-se para os lobos frontais, onde as decisões executivas são processadas. Dependendo de sua microbiota intestinal, sua mielina pode ser mais espessa ou mais fina, potencialmente afetando até como pensar e fazer julgamentos.

Na verdade, os adolescentes não tomam decisões piores que as crianças mais novas, mas, com muito mais maneiras de implementá-las, as consequências de suas escolhas podem ser bem mais perigosas.

Enquanto isso, os hormônios adolescentes estão em alta, as partes do cérebro envolvidas no processamento da ansiedade ainda estão se desenvolvendo e sua microbiota intestinal também está mudando sutilmente. Fatores estressantes, como privação de sono, hábitos alimentares ruins e cursos contínuos de antibióticos motivam essas mudanças, o que pode explicar por que o pico de idade para problemas psiquiátricos é aos 14 anos. De toda forma, vale lembrar que mesmo adolescentes saudáveis são suscetíveis à instabilidade emocional.

Boas e más notícias: esta pode ser a última chance de fazer mudanças. Se, entretanto, o jovem tiver um conjunto inadequado de micróbios se estabelecendo em seu intestino, provavelmente terá que lutar pelo resto da vida para manter o controle. Adolescentes devem comer muitas fibras, além de outros alimentos saudáveis.

    Se seu filho é adolescente, tente ajudar. Lembre-se de que ele ainda é bastante maleável e sensível à intervenção microbiana em seu intestino. E esse é um dos períodos cruciais da vida, quando até mesmo uma pequena intervenção já pode levar a uma grande resiliência psiquiátrica no futuro.

    Conforme a pessoa envelhece, sua microbiota intestinal ainda continua a mudar, mas é difícil fazer generalizações nesse ponto porque há muita variação. Há evidências de que seria possível melhorar sua microbiota intestinal, mesmo na velhice ao adotar uma dieta do tipo mediterrâneo e ingerindo mais fibras.

7

FIBRAS: BANQUETE PARA OS AMIGOS E VENENO PARA OS INIMIGOS

Como você já sabe, o intestino é o lar de trilhões de microrganismos que desempenham funções fundamentais para a vida humana e, quanto maior e mais diversificada a microbiota intestinal, melhor para o hospedeiro, isto é, para nós.

Pense que seu intestino é um terreno e sua microbiota intestinal, uma floresta tropical que nele habita. Nessa floresta são encontradas inúmeras espécies de plantas, cada uma cumprindo um papel nesse ecossistema.

Todas as espécies estão em equilíbrio, e a harmonia reina no ambiente. É assim que gostaria que você imaginasse seu intestino e sua respectiva microbiota intestinal saudável.

Figura 27 – Floresta densa: uma microbiota intestinal adequada.

Durante vários séculos, esse ambiente foi se mantendo estável, mas de repente entra em cena um novo estilo de vida, que nos traz também um novo hábito alimentar: o padrão de alimentação ocidental. Essa nova realidade modificou completamente a forma como nos alimentávamos há dezenas ou centenas de anos.

As pesquisas atuais apontam que a dieta exerce grande efeito sobre a microbiota intestinal.[1] Um estudo feito em humanos que trocaram completamente de uma dieta comum para uma versão balanceada e baseada em plantas (85%) e animais (15%), mostrou que as bactérias intestinais mudaram abruptamente. Você modifica a composição e a harmonia da sua microbiota intestinal a cada refeição.[2]

Passamos a descascar menos e a desembalar mais e, com isso, agregamos à alimentação uma infinidade de aditivos alimentares que tantos problemas trazem à saúde física e mental.[3] A introdução dessa nova alimentação ocidental foi a responsável pela seleção de uma microbiota intestinal com associação e funcionalidade alteradas quando comparada à de populações que ainda vivem da forma tradicional.

Com esse fenômeno, passamos a consumir habitualmente mais produtos industrializados, cheios de corantes, conservantes, ricos em açúcar, gordura, sódio, e perpetuamos uma microbiota intestinal inadequada que passou de uma floresta gigante com uma diversidade fabulosa de plantas a um campo de monocultura.

Quando estabelecemos esse padrão, colhemos o que esse tipo de microbiota intestinal tem para nos oferecer, que é completamente diferente daqueles ácidos graxos de cadeia curta que tantos benefícios trazem à nossa saúde global.

Sem eles, iniciamos um processo inflamatório, subclínico, através de uma permeabilidade intestinal que se estabelece. Além disso, por causa dessa alimentação inadequada, teremos a prevalência de bactérias gram-negativas no intestino, cujas endotoxinas (LPS), ao passarem para corrente sanguínea, iniciarão um processo inflamatório, que, como sabemos, está na gênese da maioria das doenças.

Figura 28 – Monocultura: uma microbiota intestinal inadequada.

Aliada a tudo isso, tivemos a chegada dos antibióticos, que, reitero, ajudaram a salvar milhões de vidas e fizeram a diferença para nossa sobrevivência, mas que, com tantas pessoas doentes, com sistema imunológico precário, acabam sendo necessários desde cedo e muitas vezes ao longo da vida.

Esses medicamentos são drogas letais para os patógenos, mas também levam à destruição das populações bacterianas comensais que constituem a microbiota intestinal. E, assim, o cenário se torna devastador.

Figura 29 – Terreno árido: uma microbiota intestinal devastada pelo uso inadequado de antibióticos.

Como podemos corrigir tudo isso? Voltando a comer comida de verdade, aquela mais próxima da natureza e de você. Valorize o pequeno produtor rural e incentive projetos como o Comunidades que Sustentam a Agricultura (CSA) para que tenhamos mais alimentos sem agrotóxicos e de fácil acesso.

Para ajudar a colocar em prática essa mudança de comportamento, que tal começar a introduzir na sua dieta alimentos com fibra?

Elaborei duas tabelas com os alimentos que costumam ser consumidos (ou pelo menos deveriam ser) e coloquei ao lado o teor de fibras em 100 gramas da parte comestível deles.

Uma tabela está em ordem alfabética dos alimentos e a outra em ordem decrescente de fibras.

Esses dados são da TBAC 7.1 – Tabela Brasileira de Composição de Alimentos que é a mais abrangente que temos hoje no país. Ela tem, inclusive um aplicativo gratuito que pode ser baixado no celular.

Se estiver buscando quantidades específicas de fibras, confira a tabela em ordem decrescente de fibras por alimento.

E qual seria a quantidade ideal de ingestão diária de fibras?

Estudos observacionais e ensaios clínicos conduzidos ao longo de quase quarenta anos revelam os benefícios de comer pelo menos de 25 a 29 gramas ou mais de fibra alimentar por dia, de acordo com uma série de revisões sistemáticas e metanálises publicadas na revista *The Lancet* em 2019.[4]

Agora que você já sabe o caminho, é só colocar em prática, buscando na feira – e não na farmácia – seu medicamento: comida de verdade.

TABELAS

Tabela 1 - Quantidade de fibras por 100 gramas da parte comestível do alimento (em ordem alfabética)

Alimento 100 g	Quantidade de fibras
Abacate, polpa, *in natura*	4,03 g
Abacaxi, polpa, *in natura*	1,12 g
Abio, *in natura*	1,70 g
Abóbora cabotiá (japonesa), s/casca, s/sementes, crua	2,17 g
Abóbora moranga, s/casca, s/sementes, crua	2,22 g
Abóbora paulista, crua	2,61 g

LEGENDAS
c/ = com s/ = sem

Alimento 100 g	Quantidade de fibras
Abóbora pescoço, s/casca, s/semente, crua	2,30 g
Abobrinha menina brasileira, s/casca, s/sementes, crua	1,28 g
Abobrinha italiana, c/casca, crua	1,28 g
Açaí, polpa (média de amostras)	5,89 g
Acelga, crua	1,12 g
Acerola, madura, polpa	1,75 g
Agrião, cru	1,98 g
Aipo (salsão), cru	0,96 g
Alface-americana, crua	1,24 g
Alface-crespa, crua	1,83 g
Alface lisa, crua	2,33 g
Alface roxa, crua	2,01 g
Alga, ágar-ágar, em pó	7,70 g
Alho, cru	3,19 g
Alho-poró, cru	2,51 g
Almeirão, cru	3,04 g
LEGENDAS c/ = com s/ = sem	

Alimento 100 g	Quantidade de fibras
Amaranto, grão, cozido, s/óleo, s/sal	2,10 g
Amaranto, grão, cru	6,70 g
Ameixa, *in natura*	2,43 g
Amêndoa, crua, s/sal	12,5 g
Amendoim, grão, cru	6,22 g
Amora-preta, *in natura*	0,49 g
Arroz selvagem, cozido, s/óleo, s/sal	1,80 g
Arroz, farelo, cru	24,3 g
Arroz, farinha, crua (média de diferentes marcas)	0,78 g
Arroz integral, cozido, s/sal e óleo	2,12 g
Arroz integral, cru (média diferentes cultivares)	3,90 g
Arroz polido, cozido, s/sal e óleo (média diferentes cultivares)	1,20 g
Arroz polido cru (média diferentes cultivares)	1,68 g
Aspargo, cozido, s/óleo, c/sal	1,99 g

LEGENDAS
c/ = com s/ = sem

Alimento 100 g	Quantidade de fibras
Aspargo, *in natura*	2,10 g
Atemoia, *in natura*	2,14 g
Aveia, farelo, cozida, s/tempero	4,11 g
Aveia, crua (média de diferentes tipos)	9,74 g
Aveia, farinha, cozida, s/tempero	1,35 g
Aveia, farinha, crua	10,3 g
Aveia, flocos, finos	9,50 g
Aveia, flocos, finos, instantânea	9,38 g
Avelã, crua, s/sal	9,40 g
Avocado, polpa, *in natura*	6,70 g
Azeitona preta, conserva, drenada	4,55 g
Azeitona verde, conserva, drenada	3,85 g
Banana madura, s/casca, cozida, s/óleo, s/sal	5,92 g
Banana-da-terra, assada, s/adição de ingredientes	1,80 g
Banana-da-terra, *in natura*	1,53 g
Banana-maçã, *in natura*	2,38 g
LEGENDAS c/ = com s/ = sem	

Alimento 100 g	Quantidade de fibras
Banana-nanica, *in natura*	1,70 g
Banana-ouro, *in natura*	2,46 g
Banana-prata, *in natura*	1,95 g
Batata-baroa (*), s/casca, cozida, s/óleo, s/sal	1,72 g
Batata-baroa (*), s/casca, crua	1,93 g
Batata-doce, s/casca, assada, s/óleo, s/sal	3,90 g
Batata-doce, s/casca, cozida, drenada, s/óleo, s/sal	2,74 g
Batata-doce, s/casca, crua	3,17 g
Batata-inglesa, s/casca, cozida, drenada, s/ óleo, s/sal	1,47 g
Batata-inglesa, s/casca, crua	1,32 g
Berinjela, c/casca, cozida, drenada, s/óleo, s/sal	1,91 g
Berinjela, c/casca, crua	2,69 g
Berinjela, c/casca, grelhada, s/óleo, s/sal	3,36 g
Beterraba, s/casca, cozida, drenada, s/óleo, s/sal	2,04 g

(*) mandioquinha ou batata-salsa (**) aipim ou macaxeira

LEGENDAS
c/ = com s/ = sem

Alimento 100 g	Quantidade de fibras
Beterraba, s/casca, crua	3,37 g
Brócolis, cru	3,04 g
Brócolis, flor, cozido, drenado, s/óleo, s/sal	3,29 g
Broto de alfafa, *in natura*	1,90 g
Cajá-manga, *in natura*	2,58 g
Caju, polpa, *in natura*	2,34 g
Canjica, milho, branca, cozida, drenada	1,27 g
Canjica, milho, branca, crua	3,94 g
Caqui, *in natura*	4,56 g
Cará, s/casca, cozido, drenado, s/óleo, s/sal	2,63 g
Cará, s/casca, cru	7,27 g
Carambola, *in natura*	2,03 g
Castanha-de-caju, crua, s/sal	3,30 g
Castanha-do-brasil (castanha-do-pará), crua	7,93 g
Catalonha, crua	2,05 g
Cebola-branca, assada, s/óleo, s/sal	2,90 g

LEGENDAS
c/ = com s/ = sem

Alimento 100 g	Quantidade de fibras
Cebola-branca, cozida, s/óleo, s/sal	2,04 g
Cebola-branca, crua	2,04 g
Cebolinha verde, crua	2,39 g
Cenoura, s/casca, cozida, drenada, s/óleo, s/sal	2,18 g
Cenoura, s/casca, crua	2,98 g
Centeio, farinha, integral	15,5 g
Cereja, *in natura*	2,10 g
Cevada, crua (média diferentes cultivares)	15,1 g
Cevada, s/casca (pérola), cozida, s/óleo, s/sal	16,0 g
Cevada, s/casca (pérola), crua	15,1 g
Cheiro-verde (50% cebolinha verde, 50% salsa), cru	2,75 g
Chia, semente, seca	34,4 g
Chicória, cozida, drenada, s/óleo, s/sal	2,27 g
Chicória, crua	2,20 g
Chuchu, s/casca, cozido, drenado, s/óleo, s/sal	1,39 g

LEGENDAS
c/ = com s/ = sem

Alimento 100 g	Quantidade de fibras
Chuchu, s/casca, cru	1,40 g
Ciriguela, in natura	3,90 g
Coco, polpa, in natura	5,38 g
Coentro, folha, cru	2,96 g
Cogumelo Paris, cozido, drenado, s/óleo, s/sal	2,20 g
Cogumelo Paris, cru	1,60 g
Cogumelo Shimeji, cozido, s/óleo, s/sal	6,71 g
Cogumelo Shimeji, cru	4,22 g
Cogumelo Shitake, cozido, s/óleo, s/sal	2,10 g
Cogumelo Shitake, cru	3,32 g
Couve-de-bruxelas, cozida, drenada, s/óleo, s/sal	2,60 g
Couve-manteiga, cozida, drenada, s/óleo, s/sal	2,89 g
Couve-manteiga, crua	3,12 g
Couve-flor, cozida, drenada, s/óleo, s/sal	2,05 g
Couve-flor, crua	2,42 g
LEGENDAS c/ = com s/ = sem	

Alimento 100 g	Quantidade de fibras
Cranberry, *in natura*	3,60 g
Cupuaçu, *in natura*	2,42 g
Edamame, cozida, s/óleo, s/sal	5,20 g
Ervilha, em vagem, crua	9,72 g
Ervilha, em vagem, fresca, cozida, drenada, s/óleo, s/sal	4,84 g
Ervilha, grão, fresca, cozida, drenada, s/óleo, s/sal	7,26 g
Ervilha, grão, fresca, crua	6,82 g
Ervilha, grão, seca, partida, cozida, drenada, s/óleo, s/sal	4,36 g
Ervilha, grão, seca, partida, crua	25,0 g
Escarola, folha, crua	1,86 g
Espinafre, folha, cozido, drenado, s/óleo, s/sal	1,90 g
Espinafre, folha, cru	2,83 g
Fava, grão, seca, cozida, drenada, s/óleo, s/sal	7,42 g
Fava, grão, seca, crua	20,8 g

LEGENDAS
c/ = com s/ = sem

Alimento 100 g	Quantidade de fibras
Fécula de batata, crua	5,90 g
Feijão-branco, cozido, s/óleo, s/sal	6,30 g
Feijão-branco, cru	18,2 g
Feijão, broto, cozido, drenado, s/óleo, s/sal	1,97 g
Feijão, broto, cru	1,97 g
Feijão-carioca, cozido (50% grão e 50% caldo) s/óleo, s/sal	7,06 g
Feijão-carioca, cru	20,4 g
Feijão-carioca, drenado, s/óleo, s/sal	20,4 g
Feijão-fradinho, cozido (50% grão e 50% caldo), s/óleo, s/sal	7,47 g
Feijão-fradinho, cru	8,84 g
Feijão-guando, grão, cru	18,7 g
Feijão-guando, grão, seco, cozido, drenado, s/óleo, s/sal	8,12 g
Feijão jalo, cozido (50% grão e 50% caldo), s/óleo, s/sal	13,9 g
Feijão jalo, cru	30,3 g

LEGENDAS
c/ = com s/ = sem

Alimento 100 g	Quantidade de fibras
Feijão-preto, cozido (50% grão e 50% caldo), s/óleo, s/sal	8,36 g
Feijão-preto, cru	21,5 g
Feijão-preto, drenado, s/óleo, s/sal	21,5 g
Feijão-rajado, cozido (50% grão e 50% caldo), s/óleo, s/sal	9,32 g
Feijão-rajado, cru	24,0 g
Feijão rosinha, cru	20,6 g
Feijão roxo, cozido (50% grão e 50% caldo), s/óleo, s/sal	11,5 g
Feijão roxo, cru	33,8 g
Feijão-vermelho, cozido, s/óleo, s/sal	7,40 g
Feijão-vermelho, cru	15,2 g
Figo, *in natura*	1,79 g
Flor de abóbora, cozida, drenada, s/óleo, s/sal	0,90 g
Framboesa, *in natura*	6,50 g
Fruta-pão, *in natura*	5,55 g
LEGENDAS c/ = com s/ = sem	

Alimento 100 g	Quantidade de fibras
Gengibre, raiz, *in natura*	2,00 g
Gergelim, semente, crua	11,9 g
Goiaba branca, inteira, *in natura*	5,98 g
Goiaba vermelha, inteira, *in natura*	5,59 g
Grão-de-bico, cozido, drenado, s/óleo, s/sal	7,47 g
Grão-de-bico, cru	16,7 g
Graviola, *in natura*	1,91 g
Hortelã, *in natura*	6,80 g
Inhame s/casca, assado, drenado s/óleo, s/sal	1,67 g
Inhame c/casca, cozido, drenado s/óleo, s/sal	1,52 g
Inhame s/casca, cru	1,59 g
Jabuticaba, *in natura*	2,30 g
Jaca, *in natura*	2,39 g
Jambo, *in natura*	5,07 g
Jamelão, *in natura*	1,78 g
Jiló, c/casca, assado, s/óleo, s/sal	6,03 g
LEGENDAS c/ = com s/ = sem	

Alimento 100 g	Quantidade de fibras
Jiló, c/casca, cozido, drenado, s/óleo, s/sal	5,79 g
Jiló, c/casca, cru	4,83 g
Jurubeba, crua	23,9 g
Kiwi, *in natura*	2,92 g
Laranja-baía, *in natura*	1,46 g
Laranja-pera, *in natura*	1,36 g
Laranja-seleta, *in natura*	2,87 g
Lentiha, cozida, drenada, s/óleo, s/sal	6,44 g
Lentilha, crua	18,7 g
Maçã verde, s/casca, *in natura*	2,40 g
Maçã Argentina, c/casca, *in natura*	2,03 g
Maçã fuji, c/casca, *in natura*	1,35 g
Macadâmia, crua, s/sal	8,60 g
Macaúba, *in natura*	13,4 g
Mandioca (**) s/casca, cozida, s/óleo, s/sal	1,83 g
Mandioca (**), fécula	0,65 g

(*) mandioquinha ou batata-salsa (**) aipim ou macaxeira

LEGENDAS
c/ = com s/ = sem

Alimento 100 g	Quantidade de fibras
Mandioca (**) s/casca, assada, s/óleo, s/sal	2,70 g
Mandioca (**) s/casca, cozida, drenada, s/óleo, s/sal	2,71 g
Mandioca (**), s/casca, crua	2,09 g
Mandioca (**), sagu, cru	0,90 g
Mandioca, farinha, crua	6,03 g
Mandioca, farinha, torrada	6,54 g
Mamão Formosa, polpa, *in natura*	1,81 g
Mamão Papaia, polpa, *in natura*	1,03 g
Manga Haden, polpa, *in natura*	1,58 g
Manga Palmer, polpa, *in natura*	1,63 g
Manga Tommy Atkis, polpa, *in natura*	2,07 g
Maxixe, c/casca, cozido, drenado, s/óleo, s/sal	2,36 g
Maxixe, maduro c/ casca, cru	2,74 g
Melancia, polpa, *in natura*	0,13 g
Melão, polpa, *in natura*	1,22 g

(*) mandioquinha ou batata-salsa (**) aipim ou macaxeira

LEGENDAS
c/ = com s/ = sem

Alimento 100 g	Quantidade de fibras
Mexerica murcote, *in natura*	3,07 g
Mexerica do Rio, *in natura*	2,73 g
Milho, amido, cru	0,74 g
Milho, curau, cozido	0,46 g
Milho, farinha, amarela, cru	4,56 g
Milho, farinha, cru (média de diferentes marcas/granulação)	3,98 g
Milho, fubá, cru (média de diferentes marcas)	4,38 g
Milho, pipoca, grão, cru (média diferentes amostras)	11,2 g
Milho, pipoca, s/sal, preparado c/óleo	14,3 g
Milho-verde, grão, assado, s/sal	4,68 g
Milho-verde, grãos, cozido no vapor	4,10 g
Milho-verde, grão, cozido, drenado, s/sal	3,66 g
Milho-verde, grão (média de diferentes amostras)	4,75 g
Mingau, de amido de milho (maisena)	0,10 g

LEGENDAS
c/ = com s/ = sem

Alimento 100 g	Quantidade de fibras
Mirtilo, *in natura*	2,40 g
Morango, *in natura*	1,67 g
Mostarda, folha, cozida, drenada, s/óleo, s/sal	2,29 g
Mostarda, folha, crua	2,18 g
Nabo, c/casca, cru	1,88 g
Nabo, s/casca, cozido, drenado, s/óleo, s/sal	1,88 g
Nêspera, *in natura*	2,96 g
Nori, alga, seca	36,4 g
Noz, torrada, s/sal	9,40 g
Ora-pro-nóbis, folhas e talos, cozidos, s/óleo, s/sal	5,61 g
Ora-pro-nóbis, folhas e talos, *in natura*	4,88 g
Palmito Juçara, conserva, drenado	3,15 g
Palmito pupunha, conserva, drenado	2,55 g
Pepino, c/casca, cru	1,04 g
Pequi, polpa, cozido, s/óleo, s/sal	9,90 g

LEGENDAS
c/ = com s/ = sem

Alimento 100 g	Quantidade de fibras
Pequi, polpa, maduro, *in natura*	19,0 g
Pera, *in natura*	3,0 g
Pera Park, *in natura*	2,98 g
Pera Williams, *in natura*	3,01 g
Pêssego, *in natura*	1,89 g
Pimentão amarelo, assado, s/óleo, s/sal	1,88 g
Pimentão amarelo, cozido, drenado, s/óleo, s/sal	2,07 g
Pimentão amarelo, cru	1,80 g
Pimentão verde, assado, s/óleo, s/sal	1,66 g
Pimentão verde, cozido, drenado, s/óleo, s/sal	1,83 g
Pimentão verde, cru	1,59 g
Pimentão vermelho, assado, s/óleo, s/sal	1,76 g
Pimentão vermelho, cozido, drenado, s/óleo, s/sal	1,83 g
Pimentão vermelho, cru	1,59 g
Pinha, *in natura*	3,36 g

LEGENDAS
c/ = com s/ = sem

Alimento 100 g	Quantidade de fibras
Pinhão, cozido, s/sal	10,7 g
Pistache, cru, s/sal	10,6 g
Pitaia, *in natura*	1,80 g
Pitanga, *in natura*	2,67 g
Polvilho doce	0,24 g
Pupunha, fruto, cozido, s/sal	6,39 g
Quiabo, cozido, drenado, s/óleo, s/sal	3,13 g
Quiabo, cru	4,08 g
Repolho-branco, cozido, drenado, s/óleo, s/sal	1,28 g
Repolho, cru	1,92 g
Repolho roxo, cozido, drenado, s/óleo, s/sal	2,60 g
Repolho roxo, cru	0,17 g
Rúcula, crua	2,43 g
Salsa, crua	2,90 g
Taioba, folha, cozida, drenada, s/óleo, s/sal	5,05 g
Taioba, folha, crua	5,68 g

LEGENDAS
c/ = com s/ = sem

Alimento 100 g	Quantidade de fibras
Tamarindo, in natura	6,45 g
Tangerina ponkan, in natura	0,94 g
Tomate, cru	1,60 g
Tomate, maduro, cozido, s/óleo, s/sal	0,70 g
Tremoço, conserva, c/sal	14,4 g
Tremoço, cru	32,3 g
Trigo, farelo	46,4 g
Trigo, farinha, branca, cru (média de diferentes amostras)	2,58 g
Trigo, farinha, integral, crua (média de diferentes amostras)	12,8 g
Trigo, grão, cru	12,7 g
Trigo para quibe, cru	12,5 g
Trigo para quibe cozido, s/sal	4,50 g
Umbu, in natura	1,98 g
Uva, in natura	0,93 g
Uva Itália, in natura	0,92 g
LEGENDAS c/ = com s/ = sem	

Alimento 100 g	Quantidade de fibras
Vagem, cozida, drenada, s/óleo, s/sal (média de diferentes amostras)	2,34 g
Vagem, crua (média de diferentes amostras)	2,65 g
Vagem macarrão, cozida, drenada, s/óleo, s/sal	2,15 g
Vagem macarrão, crua	2,70 g
Vagem manteiga, crua	2,46 g
Tucumã, *in natura*	12,7 g

LEGENDAS
c/ = com s/ = sem

Tabela Brasileira de Composição de Alimentos (TBCA). Universidade de São Paulo (USP). Food Research Center (FoRC). Versão 7.1. São Paulo, 2020. Disponível em: http://www.fcf.usp.br/tbca.

Tabela 2 – Quantidade de fibras por 100 gramas da parte comestível do alimento (em ordem decrescente)

Alimento 100 g	Quantidade de fibras
Trigo, farelo	46,4
Nori, alga, seca	36,4 g
Chia, semente, seca	34,4 g
Feijão roxo, cru	33,8 g
Tremoço, cru	32,3 g
Feijão jalo, cru	30,3 g
Ervilha, grão, seca, partida, crua	25,0 g

LEGENDAS
c/ = com s/ = sem

Alimento 100 g	Quantidade de fibras
Arroz, farelo, cru	24,3 g
Feijão-rajado, cru	24,0 g
Jurubeba, crua	23,9 g
Feijão-preto, cru	21,5 g
Feijão-preto, drenado, s/óleo, s/sal	21,5 g
Fava, grão, seco, crua	20,8 g
Feijão rosinha, cru	20,6 g
Feijão-carioca, cru	20,4 g
Feijão-carioca, drenado, s/óleo, s/sal	20,4 g
Pequi, polpa, maduro, *in natura*	19,0 g
Feijão-guando, grão, cru	18,7 g
Lentilha, crua	18,7 g
Feijão-branco, cru	18,2 g
Grão-de-bico, cru	16,7 g
Cevada, s/casca (pérola), cozida, s/óleo, s/sal	16,0 g
Centeio, farinha, integral	15,5 g

LEGENDAS
c/ = com s/ = sem

Alimento 100 g	Quantidade de fibras
Feijão-vermelho, cru	15,2 g
Cevada, crua (média diferentes cultivares)	15,1 g
Cevada, s/casca (pérola), crua	15,1 g
Tremoço, conserva, c/sal	14,4 g
Milho, pipoca, s/sal, preparado c/óleo	14,3 g
Feijão jalo, cozido (50% grão e 50% caldo), s/óleo, s/sal	13,9 g
Macaúba, *in natura*	13,4 g
Trigo, farinha, integral, crua (média de diferentes amostras)	12,8 g
Trigo, grão, cru	12,7 g
Tucumã, *in natura*	12,7 g
Trigo para quibe, cru	12,5 g
Amêndoa, crua, s/sal	12,5 g
Gergelim, semente, crua	11,9 g
Feijão-roxo, cozido (50% grão e 50% caldo), s/óleo, s/sal	11,5 g

LEGENDAS
c/ = com s/ = sem

Alimento 100 g	Quantidade de fibras
Milho, pipoca, grão, cru (média diferentes amostras)	11,2 g
Pinhão, cozido, s/sal	10,7 g
Pistache, cru, s/sal	10,6 g
Aveia, farinha, crua	10,3 g
Pequi, polpa, cozido, s/óleo, s/sal	9,90 g
Aveia, crua (média de diferentes tipos)	9,74 g
Ervilha, em vagem, crua	9,72 g
Noz, torrada, s/sal	9,40 g
Avelã, crua, s/sal	9,40 g
Aveia, flocos, finos	9,50 g
Aveia, flocos, finos, instantânea	9,38 g
Feijão-rajado, cozido (50% grão e 50% caldo), s/óleo, s/sal	9,32 g
Feijão-fradinho, cru	8,84 g
Macadâmia, crua, s/sal	8,60 g
Feijão-preto, cozido (50% grão e 50% caldo), s/óleo, s/sal	8,36 g

LEGENDAS
c/ = com s/ = sem

Alimento 100 g	Quantidade de fibras
Feijão-guando, grão, seco, cozido, drenado, s/óleo, s/sal	8,12 g
Castanha-do-Brasil (castanha-do-pará), crua	7,93 g
Alga, ágar-ágar, em pó	7,70 g
Feijão-fradinho, cozido (50% grão e 50% caldo), s/óleo, s/sal	7,47 g
Grão-de-bico, cozido, drenado, s/óleo, s/sal	7,47 g
Fava, grão, seca, cozida, drenada, s/óleo, s/sal	7,42 g
Feijão-vermelho, cozido, s/óleo, s/sal	7,40 g
Cará, s/casca, cru	7,27 g
Ervilha, grão, fresca, cozida, drenada, s/óleo, s/sal	7,26 g
Feijão-carioca, cozido (50% grão e 50% caldo) s/óleo, s/sal	7,06 g
Ervilha, grão, fresca, crua	6,82 g
Hortelã, *in natura*	6,80 g
Cogumelo Shimeji, cozido, s/óleo, s/sal	6,71 g
Amaranto, grão, cru	6,70 g
LEGENDAS c/ = com s/ = sem	

Alimento 100 g	Quantidade de fibras
Avocado, polpa, *in natura*	6,70 g
Mandioca, farinha, torrada	6,54 g
Framboesa, *in natura*	6,50 g
Tamarindo, *in natura*	6,45 g
Lentiha, cozida, drenada, s/óleo, s/sal	6,44 g
Pupunha, fruto, cozido, s/sal	6,39 g
Feijão-branco, cozido, s/óleo, s/sal	6,30 g
Amendoim, grão, cru	6,22 g
Jiló, c/casca, assado, s/óleo, s/sal	6,03 g
Mandioca, farinha, crua	6,03 g
Goiaba branca, inteira, *in natura*	5,98 g
Banana madura, s/casca, cozida, s/óleo, s/sal	5,92 g
Fécula de batata, crua	5,90 g
Açaí, polpa (média de amostras)	5,89 g
Jiló, c/casca, cozido, drenado, s/óleo, s/sal	5,79 g
Taioba, folha, crua	5,68 g

LEGENDAS
c/ = com s/ = sem

Alimento 100 g	Quantidade de fibras
Ora-pro-nóbis, folhas e talos, cozidos, s/óleo, s/sal	5,61 g
Goiaba vermelha, inteira, *in natura*	5,59 g
Fruta-pão, *in natura*	5,55 g
Coco, polpa, *in natura*	5,38 g
Edamame, cozida, s/óleo, s/sal	5,20 g
Jambo, *in natura*	5,07 g
Taioba, folha, cozida, drenada, s/óleo, s/sal	5,05 g
Ora-pro-nóbis, folhas e talos, *in natura*	4,88 g
Ervilha, em vagem, fresca, cozida, drenada, s/óleo, s/sal	4,84 g
Jiló, c/casca, cru	4,83 g
Milho-verde, grão (média de diferentes amostras)	4,75 g
Milho-verde, grão, assado, s/sal	4,68 g
Milho, farinha, amarela, cru	4,56 g
Caqui, *in natura*	4,56 g
Azeitona preta, conserva, drenada	4,55 g
LEGENDAS c/ = com s/ = sem	

Alimento 100 g	Quantidade de fibras
Trigo, para quibe, cozido, s/sal	4,50 g
Milho, fubá, cru (média de diferentes marcas)	4,38 g
Ervilha, grão, seca, partida, cozida, drenada, s/óleo, s/sal	4,36 g
Cogumelo, Shimeji, cru	4,22 g
Aveia, farelo, cozida, s/tempero	4,11 g
Milho-verde, grãos, cozido no vapor	4,10 g
Quiabo, cru	4,08 g
Abacate, polpa, *in natura*	4,03 g
Milho, farinha, cru (média de diferentes marcas/granulação)	3,98 g
Canjica, milho, branca, crua	3,94 g
Ciriguela, *in natura*	3,90 g
Batata-doce, s/casca, assada, s/óleo, s/sal	3,90 g
Arroz integral, cru (média diferentes cultivares)	3,90 g
Azeitona verde, conserva, drenada	3,85 g

LEGENDAS
c/ = com s/ = sem

Alimento 100 g	Quantidade de fibras
Milho-verde, grão, cozido, drenado, s/sal	3,66 g
Cranberry, *in natura*	3,60 g
Beterraba, s/casca, crua	3,37 g
Pinha, *in natura*	3,36 g
Berinjela, c/casca, grelhada, s/óleo, s/sal	3,36 g
Cogumelo Shitake, cru	3,32 g
Castanha-de-caju, crua, s/sal	3,30 g
Brócolis, flor, cozido, drenado, s/óleo, s/sal	3,29 g
Alho, cru	3,19 g
Batata-doce, s/casca, crua	3,17 g
Palmito Juçara, conserva, drenado	3,15 g
Quiabo, cozido, drenado, s/óleo, s/sal	3,13 g
Couve-manteiga, crua	3,12 g
Mexerica murcote, *in natura*	3,07 g
Brócolis, cru	3,04 g
Almeirão, cru	3,04 g

LEGENDAS
c/ = com s/ = sem

Alimento 100 g	Quantidade de fibras
Pera Williams, in natura	3,01 g
Pera, in natura	3,0 g
Cenoura, s/casca, crua	2,98 g
Pera Park, in natura	2,98 g
Coentro, folha, cru	2,96 g
Nêspera, in natura	2,96 g
Kiwi, in natura	2,92 g
Salsa, crua	2,90 g
Cebola-branca, assada, s/óleo, s/sal	2,90 g
Couve-manteiga, cozida, drenada, s/óleo, s/sal	2,89 g
Laranja-seleta, in natura	2,87 g
Espinafre, folha, cru	2,83 g
Cheiro-verde (50% cebolinha verde, 50% salsa), cru	2,75 g
Maxixe, maduro c/casca, cru	2,74 g
Batata-doce, s/casca, cozida, drenada, s/óleo, s/sal	2,74 g

LEGENDAS
c/ = com s/ = sem

Alimento 100 g	Quantidade de fibras
Mexerica do Rio, in natura	2,73 g
Mandioca (**) s/casca, cozida, drenada, s/óleo, s/sal	2,71 g
Mandioca (**) s/casca, assada, s/óleo, s/sal	2,70 g
Vagem macarrão, crua	2,70 g
Berinjela, c/casca, crua	2,69 g
Pitanga, in natura	2,67 g
Vagem, crua (media de diferentes amostras)	2,65 g
Cará, s/casca, cozido, drenado, s/óleo, s/sal	2,63 g
Abóbora paulista, crua	2,61 g
Repolho roxo, cozido, drenado, s/óleo, s/sal	2,60 g
Couve-de-bruxelas, cozida, drenada, s/óleo, s/sal	2,60 g
Trigo, farinha, branca, cru (média de diferentes amostras)	2,58 g
Cajá-manga, in natura	2,58 g
Palmito, Pupunha, conserva, drenado	2,55 g
Alho-poró, cru	2,51 g
(*) mandioquinha ou batata-salsa (**) aipim ou macaxeira	
LEGENDAS c/ = com s/ = sem	

Alimento 100 g	Quantidade de fibras
Banana-ouro, *in natura*	2,46 g
Vagem manteiga, crua	2,46 g
Rúcula, crua	2,43 g
Ameixa, *in natura*	2,43 g
Couve-flor, crua	2,42 g
Cupuaçu, *in natura*	2,42 g
Mirtilo, *in natura*	2,40 g
Maçã verde, s/casca, *in natura*	2,40 g
Jaca, *in natura*	2,39 g
Cebolinha, verde, crua	2,39 g
Banana-maçã, *in natura*	2,38 g
Maxixe, c/casca, cozido, drenado, s/óleo, s/sal	2,36 g
Vagem, cozida, drenada, s/óleo, s/sal (média de diferentes amostras)	2,34 g
Caju, polpa, *in natura*	2,34 g
Alface lisa, crua	2,33 g
Abóbora, pescoço, s/casca, s/semente, crua	2,30 g

LEGENDAS
c/ = com s/ = sem

Alimento 100 g	Quantidade de fibras
Jabuticaba, *in natura*	2,30 g
Mostarda, folha, cozida, drenada, s/óleo, s/sal	2,29 g
Chicória, cozida, drenada, s/óleo, s/sal	2,27 g
Abóbora moranga, s/casca, s/sementes, crua	2,22 g
Chicória, crua	2,20 g
Cogumelo Paris, cozido, drenado, s/óleo, s/sal	2,20 g
Mostarda, folha, crua	2,18 g
Cenoura, s/casca, cozida, drenada, s/óleo, s/sal	2,18 g
Abóbora cabotiá (japonesa), s/casca, s/sementes, crua	2,17 g
Vagem macarrão, cozida, drenada, s/óleo, s/sal	2,15 g
Atemoia, *in natura*	2,14 g
Arroz integral, cozido, s/sal e óleo	2,12 g
Aspargo, *in natura*	2,10 g
Amaranto, grão, cozido, s/óleo, s/sal	2,10 g

LEGENDAS
c/ = com s/ = sem

Alimento 100 g	Quantidade de fibras
Cereja, *in natura*	2,10 g
Cogumelo Shitake, cozido, s/óleo, s/sal	2,10 g
Mandioca (**), s/casca, crua	2,09 g
Pimentão amarelo, cozido, drenado, s/óleo, s/sal	2,07 g
Manga Tommy Atkis, polpa, *in natura*	2,07 g
Couve-flor, cozida, drenada, s/óleo, s/sal	2,05 g
Catalonha, crua	2,05 g
Cebola-branca, cozida, s/óleo, s/sal	2,04 g
Cebola-branca, crua	2,04 g
Beterraba, s/casca, cozida, drenada, s/óleo, s/sal	2,04 g
Carambola, *in natura*	2,03 g
Maçã Argentina, c/casca, *in natura*	2,03 g
Alface roxa crua	2,01 g
Gengibre, raiz, *in natura*	2,00 g
Aspargo, cozido, s/óleo, c/sal	1,99 g

(*) mandioquinha ou batata-salsa (**) aipim ou macaxeira

LEGENDAS
c/ = com s/ = sem

Alimento 100 g	Quantidade de fibras
Agrião, cru	1,98 g
Umbu, *in natura*	1,98 g
Feijão, broto, cozido, drenado, s/óleo, s/sal	1,97 g
Feijão, broto, cru	1,97 g
Banana-prata, *in natura*	1,95 g
Batata-baroa (*), s/casca, crua	1,93 g
Repolho, cru	1,92 g
Berinjela, c/casca, cozida, drenada, s/óleo, s/sal	1,91 g
Graviola, *in natura*	1,91 g
Broto de alfafa, *in natura*	1,90 g
Espinafre, folha, cozido, drenado, s/óleo, s/sal	1,90 g
Pêssego, *in natura*	1,89 g
Nabo, c/casca, cru	1,88 g
Nabo, s/casca, cozido, drenado, s/óleo, s/sal	1,88 g
Pimentão amarelo, assado, s/óleo, s/sal	1,88 g
(*) mandioquinha ou batata-salsa (**) aipim ou macaxeira	
LEGENDAS c/ = com s/ = sem	

Alimento 100 g	Quantidade de fibras
Pimentão verde cozido, drenado, s/óleo, s/sal	1,83 g
Mandioca (**) s/casca, cozida, s/óleo, s/sal	1,83 g
Pimentão vermelho cozido, drenado, s/óleo, s/sal	1,83 g
Alface-crespa, crua	1,83 g
Mamão formosa, polpa, *in natura*	1,81 g
Pimentão amarelo, cru	1,80 g
Pitaia, *in natura*	1,80 g
Banana-da-terra, assada, s/adição de ingredientes	1,80 g
Arroz selvagem, cozido, s/óleo, s/sal	1,80 g
Figo, *in natura*	1,79 g
Jamelão, *in natura*	1,78 g
Pimentão vermelho, assado, s/óleo, s/sal	1,76 g
Acerola, madura, polpa	1,75 g
Batata-baroa (*), s/casca, cozida, s/óleo, s/sal	1,72 g
Abio, *in natura*	1,70 g
(*) mandioquinha ou batata-salsa (**) aipim ou macaxeira	
LEGENDAS c/ = com s/ = sem	

Alimento 100 g	Quantidade de fibras
Banana-nanica, in natura	1,70 g
Arroz polido, cru (média diferentes cultivares)	1,68 g
Morango, in natura	1,67 g
Inhame s/casca, assado, drenado s/óleo, s/sal	1,67 g
Pimentão verde, assado, s/óleo, s/sal	1,66 g
Manga palmer, polpa, in natura	1,63 g
Tomate, cru	1,60 g
Cogumelo Paris, cru	1,60 g
Inhame, s/casca, cru	1,59 g
Pimentão verde cru	1,59 g
Pimentão vermelho cru	1,59 g
Manga Haden, polpa, in natura	1,58 g
Banana-da-terra, in natura	1,53 g
Inhame c/casca, cozido, drenado s/óleo, s/sal	1,52 g
Batata-inglesa, s/casca, cozida, drenada, s/óleo, s/sal	1,47 g

LEGENDAS
c/ = com s/ = sem

Alimento 100 g	Quantidade de fibras
Laranja-baía, *in natura*	1,46 g
Chuchu, s/casca, cru	1,40 g
Chuchu, s/casca, cozido, drenado, s/óleo, s/sal	1,39 g
Laranja-pera, *in natura*	1,36 g
Maçã fuji c/casca, *in natura*	1,35 g
Aveia, farinha, cozida, s/tempero	1,35 g
Batata-inglesa, s/casca, crua	1,32 g
Abobrinha, menina brasileira, s/casca, s/sementes, crua	1,28 g
Repolho branco cozido, drenado, s/óleo, s/sal	1,28 g
Abobrinha italiana, c/casca, crua	1,28 g
Canjica, milho, branca, cozida, drenada	1,27 g
Alface-americana, crua	1,24 g
Melão, polpa, *in natura*	1,22 g
Arroz polido, cozido, s/sal e óleo (média diferentes cultivares)	1,20 g
Abacaxi, polpa, *in natura*	1,12 g

LEGENDAS
c/ = com s/ = sem

Alimento 100 g	Quantidade de fibras
Acelga, crua	1,12 g
Pepino, c/casca, cru	1,04 g
Mamão papaia, polpa, *in natura*	1,03 g
Aipo (salsão), cru	0,96 g
Tangerina ponkan, *in natura*	0,94 g
Uva, *in natura*	0,93 g
Uva Itália, *in natura*	0,92 g
Mandioca (**), sagu, cru	0,90 g
Arroz, farinha, crua (média de diferentes marcas)	0,78 g
Milho, amido, cru	0,74 g
Tomate, maduro, cozido, s/óleo, s/sal	0,70 g
Mandioca (**), fécula	0,65 g
Amora-preta, *in natura*	0,49 g
Milho, curau, cozido	0,46 g
Polvilho, doce	0,24 g
(*) mandioquinha ou batata-salsa (**) aipim ou macaxeira	
LEGENDAS c/ = com s/ = sem	

Alimento 100 g	Quantidade de fibras
Repolho roxo, cru	0,17 g
Melancia, polpa, *in natura*	0,13 g
Mingau, de amido de milho (maisena)	0,10 g
Flor de abóbora, cozida, drenada, s/óleo, s/sal	0,90 g
LEGENDAS c/ = com s/ = sem	

Tabela Brasileira de Composição de Alimentos (TBCA). Universidade de São Paulo (USP). Food Research Center (FoRC). Versão 7.1. São Paulo, 2020. Disponível: http://www.fcf.usp.br/tbca.

REFERÊNCIAS BIBLIOGRÁFICAS

1. Não é só peixe que morre pela boca

[1] Collaborators, G. B. D. Diet 2017. Health Effects of Dietary Risks in 195 Countries, 1990-2017: A Systematic Analysis for the Global Burden of Disease Study 2017. *Lancet* [revista em Internet]. 2019 11 maio [acesso em 14 jul 2021]; 393(10184):1958-72. doi: 10.1016/S0140-6736(19)30041-8.

Disponível em: https://www.thelancet.com/journals/lancet/article/PIIS0140-6736(19)30041-8/fulltext.

[2] Lim SS, Vos T, Flaxman AD et al. A Comparative Risk Assessment of Burden of Disease and Injury Attributable to 67 Risk Factors and Risk Factor Clusters in 21 Regions, 1990-2010: A Systematic Analysis for the Global Burden of Disease Study 2010. *Lancet*. 2012 [acesso em 14 jul 2021];380:2224-60. doi: 10.1016/S0140-6736(12)61766-8. Disponível em: https://www.thelancet.com/journals/lancet/article/PIIS0140-6736(12)61766-8/fulltext.

GBD 2013 Risk Factors Collaborators, Forouzanfar MH, Alexander L et al. Global, Regional, and National Comparative Risk Assessment of 79 Behavioural, Environmental and Occupational, and Metabolic Risks or Clusters of Risks in 188 Countries, 1990-2013: A Systematic Analysis for the Global Burden of Disease Study 2013. *Lancet* [revista em Internet]. 2015 [acesso em 14 jul 2021]; 386:2287-323. doi: 10.1016/S0140-6736(15)00128-2. Disponível em: https://www.thelancet.com/journals/lancet/article/PIIS0140-6736(15)00128-2/fulltext.

[3] Horton R. COVID-19 Is Not a Pandemic. *Lancet*. 2020 set 26;396(10.255):874. doi: 10.1016/S0140-6736(20)32000-6.

[4] Willen SS, Knipper M, Abadía-Barrero CE, Davidovitch N. Syndemic Vulnerability and the Right to Health. *Lancet*. 2017 mar 4;389(10.072):964-77. doi: 10.1016/S0140-6736(17)30261-1.

[5] Ferreira CG, Rocha JCC. **Oncologia molecular**. 2. ed. São Paulo: Editora Atheneu; 2010.

2. Um órgão digno de ser colocado no trono

[1] Sanioto SML, Digestão e absorção de nutrientes orgânicos. In: *Sistema digestório: integração básico-clínica* [livro on-line]. São Paulo: Blucher; 2016 [acesso em 14 jul 2021], 603-44. doi: 10.5151/9788580391893-22. Disponível em: https://openaccess.blucher.com.br/article-details/digestao-e-absorcao-de-nutrientes-organicos-20131.

[2] Mafra, D., Borges, N.A., Lindholm, B. et al. Food as Aedicine: Targeting the Uraemic Phenotype in Chronic Kidney Disease. *Nat Rev Nephrol* [revista em Internet]. 2020 set 20 [acesso em 14 jul 2021], 17, 153–171 (2021). doi: 10.1038/s41581-020-00345-8. Disponível em: https://www.nature.com/articles/s41581-020-00345-8.

[3] Sender R, Fuchs S, Milo R. Are We Really Vastly Outnumbered? Revisiting the Ratio of Bacterial to Host Cells in Humans. *Cell*. 2016 [acesso em 14 jul 2021];164:337-40.

doi: 10.1016/j.cell.2016.01.013. Disponível em: https://pubmed.ncbi.nlm.nih.gov/26824647/.

[4] Savarino V, Dulbecco P, de Bortoli N, Ottonello A, Savarino E. The appropriate use of proton pump inhibitors (PPIs): Need for a reappraisal. *Eur J Intern Med*. 2017 jan [acesso em 14 jul 2021];37:19-24. doi: 10.1016/j.ejim.2016.10.007. Epub 2016 out 23. Disponível em: https://pubmed.ncbi.nlm.nih.gov/27784575/.

[5] Pabst O, Slack E. IgA and the Intestinal Microbiota: The Importance of Being Specific. *Mucosal Immunol*. 2019 nov 18;13(1):12-21 (2020). doi: 10.1038/s41385-019-0227-4. Epub 2019 nov 18. Disponível em: https://www.nature.com/articles/s41385-019-0227-4.

[6] Bengmark S. Ecological Control of the Gastrointestinal Tract. The Role of Probiotic Flora. *Gut*. 1998 jan;42(1):2-7. doi: 10.1136/gut.42.1.2. Disponível em: https://www.ncbi.nlm.nih.gov/pmc/articles/PMC1726957/.

Thursby E, Juge N. Introduction to the Human Gut Microbiota. *Biochem J*. 2017 jun 1;474(11):1823-36. doi:10.1042/BCJ20160510. Disponível em: https://www.ncbi.nlm.nih.gov/pmc/articles/PMC5433529/.

[7] Sanioto SML. Digestão e absorção de nutrientes orgânicos. In: *Sistema digestório: integração básico-clínica* [livro on-line]. São Paulo: Blucher; 2016 [acesso em 14 jul 2021], 603-44.

doi: 10.5151/9788580391893-22. Disponível em: https://openaccess.blucher.com.br/article-details/digestao-e-absorcao-de-nutrientes-organicos-20131.

[8] Randal Bollinger R, Barbas AS, Bush EL, Lin SS, Parker W. Biofilms in the Large Bowel Suggest an Apparent Function of the Human Vermiform Appendix. *J Theor Biol*. 2007 dez 21;249(4):826-31. doi: 10.1016/j.jtbi.2007.08.032. Epub 2007 set 7. Disponível em: https://www.sciencedirect.com/science/article/abs/pii/S002251930700416X.

3. Intestino: nosso segundo cérebro (e que conversa com o primeiro)

[1] Pubmed. Gut [Internet]. [12 jul 2021]. Disponível em: https://pubmed.ncbi.nlm.nih.gov/?term=GUT.

[2] Gershon MD. O segundo cérebro; tradução de Ana Beatriz Rodrigues – Rio de Janeiro: Campus; 2000, 17-18.

[3] Gershon MD. O segundo cérebro; tradução de Ana Beatriz Rodrigues – Rio de Janeiro: Campus; 2000, 18.

[4] Gershon MD. O segundo cérebro; tradução de Ana Beatriz Rodrigues – Rio de Janeiro: Campus; 2000, 12.

[5] Gill SR, Pop M, DeBoy RT, Eckburg PB, Turnbaugh PJ, Samuel BS et al. Metagenomic Analysis of the Human Distal Gut

Microbiome. *Science* [revista em Internet]. 2006 [acesso em 14 jul 2021];312, 1355-9. doi:10.1126/science.1124234. Disponível em: https://science.sciencemag.org/content/312/5778/1355.

Sender R, Fuchs S, Milo R. Revised Estimates for the Number of Human and Bacteria Cells in the Body. *PLoS Biol*. 2016 ago19;14(8):e1002533. doi: 10.1371/journal.pbio.1002533. eCollection 2016 ago. Disponível em: https://pubmed.ncbi.nlm.nih.gov/27541692/.

Luckey TD. Introduction to Intestinal Microecology. *Am. J. Clin. Nutr*. 1972 dez;25(12):1292-4. doi: 10.1093/ajcn/25.12.1292. Disponível em: https://pubmed.ncbi.nlm.nih.gov/4639749/.

4. Microbiota intestinal: como chegamos até aqui

[1] Lopes SGBC, Ho FFC. Panorama histórico da classificação dos seres vivos e os grandes grupos dentro da proposta atual de classificação. Licenciatura em ciências. Edisciplinas [internet]. Disponível em: https://edisciplinas.usp.br/pluginfile.php/979161/mod_resource/content/1/Bio_Filogenia_top01.pdf [acesso em 14 jul 2021].

[2] Figueiredo AH, Simões CCS, Lima MHP, Motta MP, Carvalho RC, Guimarães LSP, Clevelário Jr. J, Botelho

RGM, Lima EA, Canno H, Nascimento JAS, Kronemberger D, Costa VG, Bustamante AMG, Silva JKT. Brasil: uma visão geográfica e ambiental no início do século XXI [livro on-line]. Rio de Janeiro: IBGE, Coordenação de Geografia; 2016 [acesso em 12 jul 2021]. 415 p. ISBN: 9788524043864. Disponível em: https://biblioteca.ibge.gov.br/index.php/biblioteca-catalogo?id=297884&view=detalhes.

[3] Vasiljevic T, Shah NP. Probióticos – de Metchnikoff a bioactives. *Int Dairy J*. 2008;18(7):714-28. Disponível em: https://agris.fao.org/agris-search/search.do?recordID=US201300905613.

[4] Kosikowski FV, Mistry, VV. (1997) Cheese and Fermented Milk Foods, v. 1, Origins and Principles. 3. ed.

[5] Bíblia Sagrada Ave-Maria, 141.ed. São Paulo: Ave-Maria; 2001 [1959].

[6] Gonzáles S. Alimentos lácticos probióticos. In: Lerayer ALS, Salva TJG (coords). Leites fermentados e bebidas lácteas. Campinas: Ital; 1997, 10.1-10.6.

[7] Metchnikoff E. The Prolongation of Life. Optimistic Studies. Londres: William Heinemann; 1907.

[8] Gonzáles S. Alimentos lácticos probióticos. In: Lerayer ALS, Salva TJG (coords). Leites fermentados e bebidas lácteas. Campinas: Ital; 1997, 10.1-10.6.

[9] Lerayer ALS, Barreto BAP, Waitzberg DL, Baracat EC, Grompone G, Vannuccchi H, Antoine J-M, Oliveira MN de, Miszputen SJ. São Paulo: SARVIER; 2013. 272p.

[10] Gordon S. Elie Metchnikoff: Father of Natural Immunity. *Eur J Immunol*. 2008 dez;38(12):3.257-64. doi: 10.1002/eji.200838855. Disponível em: https://onlinelibrary.wiley.com/doi/10.1002/eji.200838855.

[11] Gordon S. Elie Metchnikoff: Father of Natural Immunity. *Eur J Immunol*. 2008 dez, 38(12):3257-64. doi: 10.1002/eji.200838855. Disponível em: https://pubmed.ncbi.nlm.nih.gov/19039772/.

[12] Pubmed. Microbiota [Internet]. [2021 Jul 12]. Disponível em: https://pubmed.ncbi.nlm.nih.gov/?term=microbiota.

[13] Marchesi JR, Ravel J. The Vocabulary of Microbiome Research: A Proposal. *Microbiome* [revista em Internet]. 2015 [acesso em 14 jul 2021];3, 31. doi:10.1186/s40168-015-0094-5. Disponível em: https://microbiomejournal.biomedcentral.com/articles/10.1186/s40168-015-0094-5.

[14] Phylogenetic Structure of the Prokaryotic Domain: The Primary Kingdoms. *PNAS* [revista em Internet]. 1977 nov [acesso em 14 jul 2021];74 (11)5088-90. doi:10.1073/pnas.74.11.5088. Disponível: https://www.pnas.org/content/74/11/5088.

[15] Woese CR, Kandler O, Wheelis ML. Towards a Natural System of Organisms: Proposal for the Domains Archaea, Bacteria, and Eucarya. *PNAS* [revista em Internet]. 1990 Jun [acesso em 14 jul 2021];87(12):4.576-9. doi: 10.1073/pnas.87.12.4576. Disponível em: https://www.pnas.org/content/87/12/4576.

5. O universo invisível que nos habita

[1] Mafra, D., Borges, N.A., Lindholm, B. et al. Food as Medicine: Targeting the Uraemic Phenotype in Chronic Kidney Disease. *Nat Rev Nephrol.* 17, 153–171 (2021). doi: 10.1038/s41581-020-00345-8. Disponível em: https://www.nature.com/articles/s41581-020-00345-8.

[2] Cătoi AF, Corina A, Katsiki N, Vodnar DC, Andreicuț AD, Stoian AP, Rizzo M, Pérez-Martínez P. Gut Microbiota and Aging-A Focus on Centenarians. *Biochim Biophys Acta Mol Basis Dis.* 2020 jul 1;1866(7):165765. doi: 10.1016/j.bbadis.2020.165765. Epub 2020 mar 10. Disponível em: https://pubmed.ncbi.nlm.nih.gov/32169505/.

[3] Argüelles JC. Los microbios y el premio Nobel de medicina en 1908 (Ehrlich y Mechnikov). *An Biol.* 2008;30:65-71. Disponível em: https://www.um.es/analesdebiologia/numeros/30/PDF/30_08.pdf.

[4] Chimileski, S. and Kolter, R., 2021. Microbes gave us life. STAT [revista em Internet]. Disponível em: https://www.statnews.com/2017/12/21/microbes-human-life/ [acesso em 18 ago 2021].

[5] Microbiologia de Brock [recurso eletrônico] / Michael T. Madigan ... [et al.]; [tradução: Alice Freitas Versiani ... [et al.]; revisão técnica: Flávio Guimarães da Fonseca]. – 14. ed. – Porto Alegre: Artmed; 2016, 35.

[6] Aintuch J. (ed.) Microbioma, disbiose, probióticos e bacterioterapia. Barueri: Manole; 2017.

[7] Cuevas-Sierra A, Ramos-Lopez O, Riezu-Boj JI, Milagro FI, Martinez JA. Diet, Gut Microbiota, and Obesity: Links with Host Genetics and Epigenetics and Potential Applications. *Adv Nutr*. 2019 jan 1;10(suppl_1):S17-S30. doi: 10.1093/advances/nmy078. Disponível em: https://academic.oup.com/advances/article/10/suppl_1/S17/5307226.

[8] Netto Candido TL, Bressan J, Alfenas RCG. Dysbiosis and Metabolic Endotoxemia Induced by High-Fat Diet. *Nutr Hosp*. 2018 dez 3;35(6):1.432-40. doi: 10.20960/nh.1792. Disponível em: https://pubmed.ncbi.nlm.nih.gov/30525859/.

[9] Cook SI, Sellin JH. Review Article: Short Chain Fatty Acids in Health and Disease. Aliment. *Pharmacol. Ther*. 1998 jun

1;12(6):499-507. Disponível em: https://europepmc.org/article/med/9678808.

[10] Cummings JH, Sakata T. Physiology and Clinical Aspects of Short Chain Fatty Acids. Cambridge: Cambridge University Press; 1995.

[11] Cuevas-Sierra A, Ramos-Lopez O, Riezu-Boj JI, Milagro FI, Martinez JA. Diet, Gut Microbiota, and Obesity: Links with Host Genetics and Epigenetics and Potential Applications. *Adv Nutr*. 2019 jan 1;10(suppl_1):S17-S30. doi: 10.1093/advances/nmy078. Disponível em: https://academic.oup.com/advances/article/10/suppl_1/S17/5307226.

[12] Cotter PD, Ross RP, Hill C. Bacteriocins – A Viable Alternative to Antibiotics? *Nat Rev Microbiol* [revista em Internet]. 2013 fev [acesso em 14 jul 2021];11(2):95-105. doi: 10.1038/nrmicro2937. Epub 2012 dez 24. Disponível em: https://www.nature.com/articles/nrmicro2937.

[13] Alwarith J, Kahleova H, Crosby L et al. Factors Influencing the Efficacy of Nutritional Interventions on Muscle Mass in Older Adults: A Systematic Review and Meta-analysis. *Nutr Rev*. 2020;78(11):928-938. doi: 10.1093 / nutrit / nuaa005. Disponível em: https://pubmed.ncbi.nlm.nih.gov/33031516/.

[14] McAleer JP, Kolls JK. Contributions of the Intestinal Microbiome in Lung Immunity. *Eur J Immunol*. 2018

Jan;48(1):39-49. doi: 10.1002/eji.201646721. Epub 2017 ago 31. Disponível em: https://pubmed.ncbi.nlm.nih.gov/28776643/.

[15] Khosravi A, Mazmanian SK. Disruption of the Gut Microbiome as a Risk Factor for Microbial Infections. *Curr Opin Microbiol*. 2013 abr;16(2):221-7. doi: 10.1016/j.mib.2013.03.009. Epub 2013 abr 5.

6. Desenvolvimento da sua microbiota ao longo da sua vida

[1] Savioli G. Nutrição, saúde e fertilidade. Cachoeira Paulista: Canção Nova; 2017.

[2] Cunha AJLA, Leite AJM, Almeida IS. Atuação do pediatra nos primeiros mil dias da criança: a busca pela nutrição e desenvolvimento saudáveis. *J Pediatr (Rio J)*. 2015 nov--dez;91(6 Suppl 1):S44-51. doi: 10.1016/j.jped.2015.07.002. Epub 2015 set 6. Disponível em: https://pubmed.ncbi.nlm.nih.gov/26351769/.

[3] Bhutta ZA, Ahmed T, Black RE, Cousens S, Dewey K, Giugli-ani E et al. What Works? Interventions for Maternal and Child Undernutrition and Survival. *Lancet*. 2008 fev 2;371(9610):417-40. doi: 10.1016/S0140-6736(07)61693-6. Disponível em: https://pubmed.ncbi.nlm.nih.gov/18206226/.

[4] Dekaban AS. Changes in Brain Weights During the Span of Human Life: Relation of Brain Weights to Body Heights and Body Weights. *Ann Neurol*. 1978 out;4(4):345-56. doi: 10.1002/ana.410040410. Disponível em: https://pubmed.ncbi.nlm.nih.gov/727739/.

[5] WHO. Essential Nutrition Actions: Improving Maternal, Newborn, Infant and Young Child Health and Nutrition. Geneva: World Health Organization. 2013. 1000 Days [citado em 30 de abril de 2015]. Disponível em: http://www.thousanddays.org/.

[6] Elmadfa I, Meyer AL. Vitamins for the First 1000 Days: Preparing for Life. *Int J Vitam Nutr Res*. 2012 outt;82(5):342-7. doi: 10.1024/0300-9831/a000129. Disponível em: https://pubmed.ncbi.nlm.nih.gov/23798053/.

[7] Woo Baidal JA, Criss S, Goldman RE, Perkins M, Cunningham C, Taveras EM. Reducing Hispanic Children's Obesity Risk Factors in the First 1000 Days of Life: A Qualitative Analysis. *J Obes*. 2015;2015:945918. doi: 10.1155/2015/945918. Epub 2015 mar 22. Disponível em: https://pubmed.ncbi.nlm.nih.gov/25874127/.

[8] Aagaard K, Ma J, Antony KM, Ganu R, Petrosino J, Versalovic J. The Placenta Harbors a Unique Microbiome. *Sci Transl Med*. 2014 mai 21;6(237):237ra65. doi:10.1126/

scitranslmed.3008599. Disponível em: https://stm.sciencemag.org/content/6/237/237ra65.

[9] Dodd DMB, Reproductive Isolation as a Consequence of Adaptive Divergence in Drosophila pseudoobscura. *Evolution*. 1989;43(6):1308-11. doi:10.2307/2409365. Disponível em: https://www.jstor.org/stable/2409365.

[10] Sharon G, Segal D, Ringo JM, Hefetz A, Zilber-Rosenberg I, Rosenberg E. Commensal Bacteria Play a Role in Mating Preference of Drosophila melanogaster. *PNAS* [revista em Internet]. 2010 nov 16 [acesso em 14 jul 2021];107(46):20051-20056. doi: 10.1073/pnas.1009906107. Disponível em: https://www.pnas.org/content/107/46/20051.

[11] Turroni F, Milani C, Duranti S et al. The Infant Gut Microbiome as a Microbial Organ Influencing Host Well-Being. *Ital J Pediatr*. 2020 fev 5;46(1):16. doi: 10.1186/s13052-020-0781-0. Disponível em: https://pubmed.ncbi.nlm.nih.gov/32024556/.

[12] Cass Nelson-Dooley MS. Heal Your Oral Microbiome. Berkeley, CA: Ulyses; 2019.

[13] Fujiwara N, Tsuruda K, Iwamoto Y, Kato F, Odaki T, Yamane N, Hori Y et al. Significant Increase of Oral Bacteria in the Early Pregnancy Period in Japanese Women. *Journal of Investigative and Clinical Dentistry*. 2015 set 1. doi:10.1111/

jicd.12189. Disponível em: https://onlinelibrary.wiley.com/doi/abs/10.1111/jicd.12189.

[14] Chu DM, Ma J, Prince AL, Antony KM, Seferovic MD, Aagaard KM. Maturation of the Infant Microbiome Community Structure and Function Across Multiple Body Sites and in Relation to Mode of Delivery. *Nature Medicine* [revista em Internet]. 2017 jan 23 [acesso em 14 jul 2021];23:314-326 (2017). doi:10.1038/nm.4272. Disponível em: https://www.nature.com/articles/nm.4272.

[15] Anderson SC, Cryan JF, Dinan T. The Psychobiotic Revolution: Mood, Food, and the New Science of the Gut-Brain Connection Editor. Washington, DC: National Geographic; 2017.

7. Fibras: banquete para os amigos e veneno para os inimigos

[1] Donaldson GP, Lee SM, Mazmanian SK. Gut Biogeography of the Bacterial Microbiota. *Nat. Rev. Microbiol* [revista em Internet]. 2015 out 14 [acesso em 14 jul 2021];14:20-32 (2016). Disponível em: https://www.nature.com/articles/nrmicro3552.

[2] David LA et al. Diet Rapidly and Reproducibly Alters the Human Gut Microbiome. *Nature*. 2014 jan

23;505(7484):559-63. doi: 10.1038/nature12820. Epub 2013 dez 11. Disponível em: https://pubmed.ncbi.nlm.nih.gov/24336217/.

[3] Savioli G. Alimente bem suas emoções. 8. ed. São Paulo: Loyola; 2014.

[4] Reynolds A, Mann J, Cummings J, Winter N, Mete E, Te Morenga L. Carbohydrate Quality and Human Health: A Series of Systematic Reviews and Meta-Analyses. *Lancet*. 2019 Feb 2, 393(10170):434-45. doi: 10.1016/S0140-6736(18)31809-9. Epub 2019 Jan 10. Erratum in: *Lancet*. 2019 fev 2, 393(10170):406. doi: 10.1016/S0140-6736(18)31809-9. Disponível em: https://pubmed.ncbi.nlm.nih.gov/30638909/.

**Acreditamos
nos livros**

Este livro foi composto em Quasimoda e impresso pela Geográfica para a Editora Planeta do Brasil em julho de 2024.